GW01007640

COLLECTION POÉSIE

ÉMILE VERHAEREN

Les Campagnes hallucinées
Les Villes tentaculaires

Édition présentée,
établie et annotée
par Maurice Piron

GALLIMARD

PRÉFACE

*Il s'est passé dans les dernières années du XIXᵉ siècle un phénomène qui devait changer le cours historique de la littérature française. Jusqu'alors elle se confondait avec la littérature de la France. On avait beau n'y être pas né, comme Jean-Jacques Rousseau ou le prince de Ligne ; on n'en était pas moins naturalisé français dès qu'on entrait dans la République des lettres. Certes, il y avait bien en Belgique, en Suisse ou au Canada — on ne parlait pas encore de l'Afrique — des écrivains de langue française — on ne disait pas encore francophones. Mais, confinés dans leur pays, ils produisaient des œuvres plus ou moins démarquées des modèles que Paris exportait ; ils ne comptaient pas — ou si peu — au rayon de la création originale. Une exception comme l'*Ulenspiegel *(1867) de Charles De Coster ne fait que confirmer la règle.*

*Quelque chose se met à bouger au moment où le naturalisme, puis le symbolisme, élargissent l'horizon. C'est alors qu'on assiste à une incursion d'auteurs et d'éditeurs que le facétieux et perspicace Félix Fénéon a pittoresquement évoquée dans son *Petit Bottin des Lettres et des Arts *paru en 1886 :*

BELGES (Les).
Les Atrébates, les Bellovaques, les Véliocasses et les Aulètes envahirent la Gaule parisienne vers 1882. Ils

brandissaient d'épais manuscrits et marchaient d'un pas lourd. Pour couvrir les derrières et, au besoin, les découvrir, Auguste Brancart, Lucien-Charles Hochsteyn et Kistemaeckers. Les ducs étaient Camille Lemonnier, Edmond Picard et le transfuge Cladel ; les chefs de seconde ligne, Emile Verhaeren, Georges Eekhoud, Khnopff, Ivan Gilkin, Albert Giraud, Max Waller, Théodore Hannon, Georges Rodenbach, Henri Nizet. Ils saccagèrent les Etats de Zola, de Barbey d'Aurevilly et de Verlaine...

C'est de ce temps-là que date la notoriété de deux écrivains que la littérature française n'allait plus oublier : Georges Rodenbach et Emile Verhaeren. Ils étaient nés la même année, en 1855. Leur destinée littéraire les conduirait l'un et l'autre à Paris, par des chemins, il est vrai, fort divergents. Tandis que le « moitrinaire » Rodenbach va s'étioler dans les molles blandices de Bruges-la-morte, *l'étalon Verhaeren, la poitrine emplie du grand souffle de l'Escaut, secoue sa crinière, hennit et s'ébroue.*

Il lui faudra d'abord sortir de ce « paysage incroyablement nordique » (Marie Gevers) où il avait passé ses premières années de jeune campagnard. Du bourg de Saint-Amand au collège Sainte-Barbe de Gand puis à l'Université catholique de Louvain : l'itinéraire a beau paraître traditionnel pour un fils aisé de la bourgeoisie flamande ; il ne l'est pas. Un accident de parcours en change l'orientation : la poésie. C'est elle qui le rapproche de son condisciple Rodenbach chez les jésuites gantois — dans ce même collège où, cinq ans plus tard, se formera le trio Maurice Maeterlinck, Charles Van Lerberghe, Grégoire Le Roy. C'est elle qui, les études achevées, attend le jeune robin au sortir du prétoire où il a perdu son premier procès, pour le fixer dans sa destinée d'homme de lettres. Nous sommes en 1881.

La mêlée littéraire vient de s'engager parmi la jeunesse belge. L'humeur belliqueuse de Verhaeren s'était déjà manifestée à Louvain lorsqu'il assumait en partie la direction de La Semaine des étudiants. *L'organe de combat, en 1881, sera* La Jeune Belgique, *issue également des couches estudiantines et que dirige, d'une plume volontiers impertinente, Max Waller, un transfuge passé de Louvain à Bruxelles. La revue se réclame de l'art pour l'art et lutte contre les poncifs qui faisaient la loi dans la Belgique officielle d'alors. Collaborateur de la première heure, Verhaeren y retrouvera son ami Rodenbach dont* Les Tristesses, *parues deux ans plus tôt à Paris chez Alphonse Lemerre, tracent au fougueux admirateur des romantiques une voie nouvelle vers le réalisme poétique des Coppée et des Banville.*

Curieuse époque où la génération montante des écrivains belges défend son idéal de sincérité «Soyons nous», en se divisant face aux maîtres de la littérature contemporaine, admirés ou rejetés. Plus étonnante encore, cette chose qui semble paradoxale aujourd'hui, mais qui n'était que naturelle à l'époque : la plupart sont flamands ou d'origine flamande, mais leur langue est le français, et c'est en français qu'ils se veulent flamands. Ainsi de Verhaeren qui n'avait pas attendu le mouvement de 1881 pour affirmer, dans un de ses articles de La Semaine des étudiants : «Il faut fonder dans la Poésie une école flamande, digne de sa sœur aînée, la fille des peintres.» Ainsi sera fait. Mais autrement que ne le prévoyait le poète descriptif des* Flamandes (1883), *après que son colorisme aura pâli devant les estompes maeterlinckiennes et les arabesques d'un Max Elskamp.*

La fin du siècle verra s'apaiser les rivalités d'école. Se dégageront alors les œuvres personnelles et fortes. La capitale française devient le pôle d'attraction des écrivains belges les plus importants. Certains s'y établissent, quitte à faire au pays natal de fréquents séjours. Tel Verhaeren que son «exil» volontaire stimule et inspire. Edité à Paris, le chantre de Toute la Flandre *s'auréole aussi du prestige d'un poète national, reconnu par les siens, honoré par les jeunes. Il est vrai que la nation belge, avant 1914, est encore unie autant qu'unitaire.*

Stefan Zweig, qui connut Emile Verhaeren dans cette

période, a laissé de lui un portrait dont quelques lignes
méritent d'être rappelées :

Jamais on n'imaginerait, à travers ce poète fervent,
un homme calme et bon. Son visage — qui tenta plus
d'un peintre et plus d'un sculpteur — ne laisse trans-
paraître que des passions et des extases ; son front, sous
ses boucles grisonnantes, est creusé par les sillons profonds que grava la crise d'autrefois. Sa moustache
tombante, comme celle de Nietzsche, donne à sa phy-
sionomie un air de puissance et de gravité. La race
forte où il puise son origine se manifeste dans son
ossature saillante, dans ses lignes frustes, et plus encore peut-être dans sa démarche pesante et courbée,
d'un rythme étrange...

*

L'aventure spirituelle qui fera d'Emile Verhaeren une
sorte de Walt Whitman européen débute avec les deux
recueils que nous rééditons ici.
   Ce n'est pas que son œuvre poétique antérieure soit
négligeable. Après Les Flamandes *et* Les Moines *qui*
contribuent à l'imposer, la « trilogie noire » sera comme
sa traversée du désert. On a beaucoup parlé de cette
période de dépression chez Verhaeren : la raison chancel-
le, le fantasme foisonne, mais l'écriture s'affermit et
trouve son tempo. *C'est notamment des* Flambeaux
noirs *(1891) que date l'engagement du poète dans le*
vers-librisme, encore que ses vers libres consistent plutôt
en vers hétérométriques aux mesures traditionnelles.
   Sorti du désarroi, Verhaeren aborde un itinéraire nou-
veau qui le mène des Apparus dans mes chemins
(1891) aux Campagnes hallucinées *(1893) et le fait*
virer des Campagnes hallucinées *aux* Villes tentacu laires *(1895).*
   A regarder la chronologie, on constate pourtant que ces
deux recueils ne se suivent pas. Il y a entre eux, à côté de
quelques pièces qui seront regroupées plus tard, Les Vil-

lages illusoires *sortis en 1895, peu avant* Les Villes tentaculaires. *Mais ces poèmes qui disent les gens et les
métiers des bourgades flamandes (on y trouve* Le passeur
d'eau, *cher aux anthologies), s'ils s'ouvrent à l'humanité
et forment le pendant des* Campagnes hallucinées, *ne
sauraient rompre le lien direct qui enchaîne cette dernière œuvre aux* Villes tentaculaires. *Ce lien était tellement
évident aux yeux du poète qu'il réunira les deux recueils
en les rééditant au Mercure de France, en 1904, sous le
titre :* Les Villes tentaculaires, précédées des Campagnes hallucinées. *Lors des rééditions ultérieures, notamment dans l'édition définitive de 1912, ces deux œuvres
resteront associées l'une à l'autre[1].*

*N'eût-on pas cet argument externe que la preuve vien-
drait du texte lui-même.* Les Campagnes hallucinées
s'achèvent, à quelques vers près, par le constat :

Car c'est la fin des champs et c'est la fin des soirs,

idée que reprend et développe La plaine, *le poème-char-
nière qui ouvre* Les Villes tentaculaires :

La plaine est morne et lasse et ne se défend plus,
La plaine est morne et morte — et la ville la mange.

Cette ville, le poète la montrait déjà dans Le départ,
l'avant-dernier poème des Campagnes :

C'est la ville que la nuit formidable éclaire,
La ville en plâtre, en stuc, en bois, en fer, en or,
— Tentaculaire.

1. A l'appui de ce qui précède, on rappellera l'annonce faite par le
poète en tête de l'édition originale des *Campagnes hallucinées,* après
la justification du tirage : « *Les Campagnes hallucinées* sont le premier cahier d'une série qu'achèveront *Les Villes tentaculaires* (poèmes) et *Les Aubes* (drame). » La même note, *mutatis mutandis,* sera
reprise au même endroit dans *Les Villes...* et dans *Les Aubes.* Dans
l'exemplaire de cette dernière œuvre conservé au Cabinet Verhaeren de la Bibliothèque Royale à Bruxelles (cote : V C 102), Verhaeren a biffé de sa main la note en question.

On ne peut être plus explicite.

Les Campagnes hallucinées *sont traversées d'un double courant. En marge du thème principal — l'abandon de la terre par les ruraux qu'attire le mirage de la grande ville —, se développe une poésie du non-sens représentée par les « chansons de fou ». Elles sont au nombre de sept (chiffre fatidique ?) et mettent en scène celui que la déraison investit par des hallucinations qui font s'accoupler le morbide et le grotesque. Séquelle de l'inspiration antérieure où le poète, comme on l'a dit, congédie les fantômes de son délire. Ces pièces en vers courts alternent avec les compositions plus vastes orchestrant la grande misère des « gens d'ici » qui donne au recueil sa couleur sombre, son accent pathétique. Le pèlerinage, la fièvre, le péché, le vagabondage, la kermesse défilent pour le rendez-vous avec la mort, ce « Fléau » qui promène à travers champs et bourgades une terreur apocalyptique. Et, pour encadrer cette vaste prosopopée du désespoir, les poèmes de la déréliction : celle de la nature au début* (Les plaines), *celle de l'homme à la fin* (Le départ).*

Des Campagnes hallucinées *aux* Villes tentaculaires, *l'évolution se marque surtout par une différence de climat. Le désenchantement et l'angoisse ont fait place à l'exaltation qui monte du décor grandiose de l'urbanisme moderne et du spectacle des négoces qui lui donnent son âme.*

Mais les analogies entre les deux recueils restent importantes. Disons d'abord que, si l'inspiration des Villes *offre un caractère homogène que n'avaient pas les* Campagnes, *elles procèdent d'un identique repérage de ce qui les caractérise. Les* Villes tentaculaires *mettent en œuvre le déploiement des forces qui s'appellent les usines, la bourse, le bazar, les spectacles, les cathédrales, le musée* (alias *le masque*). Et, comme dans le recueil qui précède, le rendez-vous avec la mort reste présent.*

La ville chez Verhaeren est inséparable du port, de même qu'il ne conçoit pas la campagne en dehors de la

*plaine. Références probables au pays flamand où s'enra-
cine son imaginaire. Faut-il préciser davantage ? Et voir
en filigrane les étendues poldériennes et la métropole
anversoise ? Mieux vaut sans doute conserver au décor de
ces poèmes sa généralité exemplaire.*

*« La ville, disait Fierens-Gevaert (un contemporain
belge de Verhaeren), est un être vivant, créée par les
hommes, agrandie, ennoblie par leurs efforts, souillée par
leurs crimes. Elle est faite à leur image. Comme l'être
humain, elle a ses élans magnifiques, ses hésitations, ses
colères, ses troubles. » C'est exactement la conception que
Verhaeren a de la ville : elle se partage entre l'admiration pour le dynamisme de ses activités humaines et le
rejet des iniquités qui la déshonorent. Encore convient-il
d'ajouter que l'opprobre dont Verhaeren charge l'injusti-
ce ou la luxure n'est jamais chez lui sans grandeur. Mais
ce qui est plus important, c'est que, si la ville est pour lui
un être vivant, elle est aussi la matrice d'où sortira un
être nouveau qui s'appelle la foule.*

*L'œuvre de Verhaeren — et c'est là un des traits qui la
distingue — porte témoignage de son temps. A cet égard,
les* Campagnes *comme les* Villes *reflètent un des grands
moments de l'ère industrielle et prolétarienne du XIXe
siècle. L'émigration vers les concentrations urbaines est
un phénomène trop connu pour qu'on l'appuie ici de références historiques précises. Engagé par ses idées dans le
mouvement d'émancipation sociale, le poète ne pouvait se
borner à en transcrire l'idéologie. Le risque n'en subsis-
tait pas moins de sombrer dans le prosaïsme. Ce danger,
il faut le reconnaître, n'a été évité que de justesse. Sans
doute,* Les Villes tentaculaires *n'affichent pas encore le
prosélytisme humanitaire qui pèsera sur* Les Forces
tumultueuses *et* La Multiple Splendeur *après que leur
auteur aura découvert le chemin qui le conduit à la célé-
bration du travail, de l'effort dans la joie, de la solidarité
universelle. Cet idéal se trouvait déjà en puissance dans
le poème* L'âme de la ville *où la ville se projette dans un
avenir messianique. Ainsi naît un culte, celui du cerveau et de la science, illustré à la fin des* Villes tentacu-

laires *par des pièces telles que* La recherche *et* Les idées.
*Illustré est bien le terme qui convient à une imagerie
chargée d'habiller des lieux communs abstraits. Cette
boursouflure en arrive à faire d'un poète une espèce
d'apôtre militant pour le progrès dans un style d'école du
soir en délire... C'est peu de chose cependant en regard de
l'écriture sophistiquée qui rend illisible de bout en bout*
Le Vœu de vivre *(1891-1893) où René Ghil, peu avant
Verhaeren, avait tenté de poétiser la ville moderne en des
accents fort éloignés de ceux de son émule symboliste.*
   Les dernières strophes de Vers le futur, *la pièce qui
termine le recueil, sont essentielles quant à l'éthique
sociale de Verhaeren[1]. En des interrogations qui ont l'accent de la prophétie, le poète scrute l'avenir du monde
issu des bouleversements qui l'auront transformé. Il rêve
d'une réconciliation entre les champs*

                                        exorcisés
De leurs erreurs, de leurs affres, de leur folie

et une société nouvelle,

    Un monde enfin sauvé de l'emprise des villes.

   *Ainsi est scellée l'unité thématique où se rejoignent les
deux recueils. Unité thématique à découvrir en profon-
deur, mais aussi unité de ton.*
   *Ce ton résulte d'une convergence de traits qui donnent
à l'écriture de Verhaeren un aspect formel aisément
reconnaissable. La technique oratoire commande le discours. Ses moyens sont fort extérieurs, pour ne pas dire*

---

1. Ce poème ne figurait pas dans l'édition de 1895. Il a été ajouté
après que le poète eut renoncé à faire du drame *Les Aubes,* paru en
1898, le troisième volet de la série annoncée dès *Les Campagnes
hallucinées* (voir ci-dessus). On en comprend la raison du fait que
Vers le futur apparaît comme le substitut de l'idée que formule la
scène finale des *Aubes :* dans « Oppidomagne », au nom symbolique,
le progrès réunit en une même étreinte les « deux races, l'une abdi-
quant sa victoire, l'autre son orgueil humilié ».

voyants. La phrase, généralement longue, n'est complexe qu'en apparence. Les enchaînements se font par coordination plutôt que par subordination. Cette netteté de l'articulation aboutit à une éloquence qu'on dirait gestuelle ; en même temps, elle entraîne un découpage de la masse verbale en segments qui distribuent le rythme selon un système de récurrences qui n'appartient qu'à Verhaeren.

A l'intérieur du vers, tout d'abord, il recherche les sonorités qui se répètent : au bout des plaines et des domaines ; l'heure qui meurt sur les demeures ; les villages, à coups de rage ; des gens las, par tas ; quais mornes et uniformes ; à grand battant tannant ; *etc. On n'en finirait pas de dénombrer ces jeux de ricochet.*

Parallèlement à ce procédé qui ne touche que l'unité minimale du poème, se déploie la technique plus ample de la reprise interstrophique. Beaucoup de pièces s'appuient sur le retour de vers et de mots qui, à intervalles réguliers, viennent ponctuer la marche ascendante du discours : leitmotiv contribuant à fixer une obsession qui, propagée à travers le texte, prend une allure incantatoire.

Une telle armature serait factice, un tel mécanisme tournerait à vide s'il n'y avait là l'instrument organique d'une pensée qui se fait visionnaire et d'une vision qui engendre tout naturellement son propre fantastique. C'est la démesure qui en est le ressort plus que la déformation du réel.

Démesure qui n'est pas que dans l'objet rêvé par le poète. Elle est inséparable de l'outrance qui l'exprime au niveau du langage. Verhaeren cravache la vieille rhétorique qu'il éperonne de ses métaphores enfiévrées, de ses vocables élevés au diapason d'un paroxysme où tout est nécessairement brandi, fougueux, farouche, obstiné, frénétique, hagard, éperdu, haletant, *cliquetis verbal où* s'ameute *un style qui voit rouge,* dardé *vers un univers* myriadaire, tumultuaire, tentaculaire — élémentaire...

Voilà le mot lâché ! Elémentaire à l'échelle de la déme-

sure. N'est-ce pas cela qui fait le ton épique ? N'est-il pas vrai que l'épopée vit de grands partis pris ?

Premier poète de la vie moderne, le Flamand Emile Verhaeren aura sans doute été, en français, le dernier poète épique.

Maurice Piron

A Victor Desmeth[1]
en souvenir

LES CAMPAGNES
HALLUCINÉES

(1893)

LA VILLE

Tous les chemins vont vers la ville.

Du fond des brumes,
Avec tous ses étages en voyage[1]
Jusques au ciel, vers de plus hauts étages,
Comme d'un rêve, elle s'exhume.

Là-bas,
Ce sont des ponts musclés de fer,
Lancés, par bonds, à travers l'air ;
Ce sont des blocs et des colonnes
Que décorent Sphinx et Gorgones ;
Ce sont des tours sur des faubourgs ;
Ce sont des millions de toits
Dressant au ciel leurs angles droits :
C'est la ville tentaculaire,
Debout,
Au bout des plaines et des domaines.

Des clartés rouges
Qui bougent

Sur des poteaux et des grands mâts,
Même à midi, brûlent encor
Comme des œufs de pourpre et d'or ;
Le haut soleil ne se voit pas :
Bouche de lumière, fermée
Par le charbon et la fumée.

Un fleuve de naphte et de poix
Bat les môles de pierre et les pontons de bois ;
Les sifflets crus des navires qui passent
Hurlent de peur dans le brouillard ;
Un fanal vert est leur regard
Vers l'océan et les espaces.

Des quais sonnent aux chocs de lourds fourgons ;
Des tombereaux grincent comme des gonds ;
Des balances de fer font choir des cubes d'ombre
Et les glissent soudain en des sous-sols de feu ;
Des ponts s'ouvrant par le milieu,
Entre les mâts touffus dressent des gibets sombres
Et des lettres de cuivre inscrivent l'univers,
Immensément, par à travers
Les toits, les corniches et les murailles,
Face à face, comme en bataille.

Et tout là-bas, passent chevaux et roues,
Filent les trains, vole l'effort,
Jusqu'aux gares, dressant, telles des proues
Immobiles, de mille en mille, un fronton d'or.
Des rails ramifiés y descendent sous terre
Comme en des puits et des cratères
Pour reparaître au loin en réseaux clairs d'éclairs
Dans le vacarme et la poussière.
C'est la ville tentaculaire.

La rue — et ses remous comme des câbles
Noués autour des monuments —
Fuit et revient en longs enlacements ;
Et ses foules inextricables,
Les mains folles, les pas fiévreux,
La haine aux yeux,
Happent des dents le temps qui les devance.
A l'aube, au soir, la nuit,
Dans la hâte, le tumulte, le bruit,
Elles jettent vers le hasard l'âpre semence
De leur labeur que l'heure emporte.
Et les comptoirs mornes et noirs
Et les bureaux louches et faux
Et les banques battent des portes
Aux coups de vent de la démence.

Le long du fleuve, une lumière ouatée,
Trouble et lourde, comme un haillon qui brûle,
De réverbère en réverbère se recule.
La vie avec des flots d'alcool est fermentée.
Les bars ouvrent sur les trottoirs
Leurs tabernacles de miroirs
Où se mirent l'ivresse et la bataille ;
Une aveugle s'appuie à la muraille
Et vend de la lumière, en des boîtes d'un sou ;
La débauche et le vol s'accouplent en leur trou ;
La brume immense et rousse
Parfois jusqu'à la mer recule et se retrousse
Et c'est alors comme un grand cri jeté
Vers le soleil et sa clarté :
Places, bazars, gares, marchés,
Exaspèrent si fort leur vaste turbulence
Que les mourants cherchent en vain le moment de
Qu'il faut aux yeux pour se fermer.   *[silence*

Telle, le jour — pourtant, lorsque les soirs
Sculptent le firmament, de leurs marteaux d'ébène,
La ville au loin s'étale et domine la plaine
Comme un nocturne et colossal espoir ;
Elle surgit : désir, splendeur, hantise ;
Sa clarté se projette en lueurs jusqu'aux cieux,
Son gaz myriadaire en buissons d'or s'attise,
Ses rails sont des chemins audacieux
Vers le bonheur fallacieux
Que la fortune et la force accompagnent ;
Ses murs se dessinent pareils à une armée
Et ce qui vient d'elle encor de brume et de fumée
Arrive en appels clairs vers les campagnes.

C'est la ville tentaculaire,
La pieuvre ardente et l'ossuaire
Et la carcasse solennelle.

Et les chemins d'ici s'en vont à l'infini
Vers elle.

LES PLAINES

Sous la tristesse et l'angoisse des cieux
Les lieues
S'en vont autour des plaines ;
Sous les cieux bas
Dont les nuages traînent
Immensément, les lieues
Se succèdent, là-bas.

Droites sur des chaumes, les tours ;
Et des gens las, par tas,
Qui vont de bourg en bourg.
Les gens vaguants
Comme la route, ils ont cent ans ;
Ils vont de plaine en plaine,
Depuis toujours, à travers temps.
Les précèdent ou bien les suivent
Les charrettes dont les convois dérivent
Vers les hameaux et les venelles,
Les charrettes perpétuelles,
Grinçant le lamentable cri,
Le jour, la nuit,
De leurs essieux vers l'infini.

C'est la plaine, la plaine.
Immensément, à perdre haleine.

De pauvres clos ourlés de haies
Écartèlent leur sol couvert de plaies ;
De pauvres clos, de pauvres fermes,
Les portes lâches
Et les chaumes, comme des bâches,
Que le vent troue à coups de hache.
Aux alentours, ni trèfle vert, ni luzerne rougie,
Ni lin, ni blé, ni frondaisons, ni germes ;
Depuis longtemps, l'arbre, par la foudre cassé,
Monte, devant le seuil usé,
Comme un malheur en effigie.

C'est la plaine, la plaine blême,
Interminablement, toujours la même.

Par au-dessus, souvent,
Rage si fort le vent
Que l'on dirait le ciel fendu
Aux coups de boxe
De l'équinoxe.
Novembre hurle, ainsi qu'un loup
Au coin des bois, par le soir fou.
Les ramilles et les feuilles gelées
Passent giflées
Sur les mares, dans les allées ;
Et les grands bras des Christs funèbres,
Aux carrefours, dans les ténèbres,
Semblent grandir et tout à coup partir,
En cris de peur, vers le soleil perdu.

C'est la plaine, la plaine
Où ne vague que crainte et peine.

Les rivières stagnent ou sont taries,
Les flots n'arrivent plus jusqu'aux prairies,
Les énormes digues de tourbe,
Inutiles, tracent leur courbe ;
Comme le sol, les eaux sont mortes ;
Parmi les îles, en escortes
Vers la mer, où les anses encor se mirent,
Les haches et les marteaux voraces
Dépècent les carcasses
Lamentables des vieux navires.

C'est la plaine, la plaine
Sinistrement, à perdre haleine[1],
C'est la plaine et sa démence
Que sillonnent des vols immenses
De cormorans criant la mort
A travers l'ombre et la brume des Nords ;
C'est la plaine, la plaine
Mate et longue comme la haine,
La plaine et le pays sans fin
Où le soleil est blanc comme la faim,
Où pourrit aux tournants du fleuve solitaire,
Dans la vase, le cœur antique de la terre.

CHANSON DE FOU

Le crapaud noir sur le sol blanc
Me fixe indubitablement
Avec des yeux plus grands que n'est grande sa tête ;
Ce sont les yeux qu'on m'a volés
Quand mes regards s'en sont allés,
Un soir, que je tournai la tête.

Mon frère ? — il est quelqu'un qui ment,
Avec de la farine entre ses dents ;
C'est lui, jambes et bras en croix,
Qui tourne au loin, là-bas,
Qui tourne au vent,
Sur ce moulin de bois.

Et celui-ci, c'est mon cousin
Qui fut curé et but si fort du vin
Que le soleil en devint rouge ;
J'ai su qu'il habitait un bouge,
Avec des morts, dans ses armoires.

Car nous avons pour génitoires
Deux cailloux
Et pour monnaie un sac de poux,
Nous, les trois fous,
Qui épousons, au clair de lune,
Trois folles dames, sur la dune.

LE DONNEUR
DE MAUVAIS CONSEILS

Par les chemins bordés de pueils[1]
Rôde en maraude
Le donneur de mauvais conseils.

La vieille carriole aux tons groseille[2]
Qui l'emmena, on ne sait d'où,
Une folle la garde et la surveille,
Au carrefour des chemins mous.
Le cheval paît l'herbe d'automne,
Près d'une mare monotone,
Dont l'eau livide réverbère
Le ciel de pluie et de misère
Qui tombe en loques sur la terre.

Le donneur de mauvais conseils
Est attendu dans le village,
A l'heure où tombe le soleil.

Il est le visiteur oblique et louche
Qui, de ferme en ferme, s'abouche,

Quand la détresse et la ruine
Se rabattent sur les chaumines.
Il est celui qui frappe à l'huis,
Tenacement, et vient s'asseoir
Lorsque le hâve désespoir
Fixe ses regards droits
Sur le feu mort des âtres froids[3].

Il vaticine et il marmonne,
Toujours ardent et monotone,
Prenant à part chacun de ceux
Dont les arpents sont cancéreux
Et les épargnes infécondes
Et les poussant à tout quitter,
Pour un peu d'or qu'ils entendent tinter
En des villes, là-bas, au bout du monde.

A qui, devant sa lampe éteinte,
Seul avec soi, quand minuit tinte,
S'en va tâtant aux murs de sa chaumière
Les trous qu'y font les vers de la misère,
Sans qu'un secours ne lui vienne jamais,
Il conseille d'aller, au fond de l'eau,
Mordre soudain les exsangues reflets
De sa face dans un marais.

Il pousse au mal la fille ardente,
Avec du crime au bout des doigts,
Avec des yeux comme la poix
Et des regards qui violentent.
Il attise en son cœur le vice
A mots cuisants et rouges,
Pour qu'en elle la femelle et la gouge

Biffent la mère et la nourrice
Et que sa chair soit aux amants,
Morte, comme ossements et pierres,
Au cimetière.

Aux vieux couples qui font l'usure
Depuis que les malheurs ravagent
Les villages, à coups de rage,
Il vend les moyens sûrs
Et la ténacité qui réussit toujours
A ruiner hameaux et bourgs,
Quand, avec l'or tapi au creux
De l'armoire crasseuse ou de l'alcôve immonde,
On s'imagine, en un logis lépreux,
Être le roi qui tient le monde.

Enfin, il est le conseiller de ceux
Qui profanent la nuit des saints dimanches
En boutant l'incendie à leurs granges de planches.
Il indique l'heure précise
Où le tocsin sommeille aux tours d'église,
Où seul avec ses yeux insoucieux,
Le silence regarde faire.
Ses gestes secs et entêtés
Numérotent ses volontés,
Et l'ombre de ses doigts semble ligner d'entailles
Le crépi blanc de la muraille.

Et pour conclure il verse à tous
Un peu du fiel de son vieux cœur
Pourri de haine et de rancœur ;
Et désigne le rendez-vous,
— Quand ils voudront — au coin des bordes[4],

Où, près de l'arbre, ils trouveront
Pour se brancher un bout de corde.

Ainsi va-t-il de ferme en ferme ;
Plus volontiers, lorsque le terme
Au bahut vide inscrit sa date,
Le corps craquant comme des lattes,
Le cou maigre, le pas traînant,
Mais inusable et permanent,
Avec sa pauvre carriole,
Avec sa bête, avec sa folle,
Qui l'attendent, jusqu'au matin,
Au carrefour des vieux chemins.

CHANSON DE FOU

Je les ai vus, je les ai vus,
Ils passaient, par les sentes,
Avec leurs yeux, comme des fentes,
Et leurs barbes, comme du chanvre.

Deux bras de paille,
Un dos de foin,
Blessés, troués, disjoints,
Ils s'en venaient des loins,
Comme d'une bataille.

Un chapeau mou sur leur oreille,
Un habit vert comme l'oseille ;
Ils étaient deux, ils étaient trois,
J'en ai vu dix, qui revenaient du bois.

L'un d'eux a pris mon âme
Et mon âme comme une cloche
Vibre en sa poche.

L'autre a pris ma peau
— Ne le dites à personne —
Ma peau de vieux tambour
Qui sonne.

Un paysan est survenu
Qui nous piqua dans le sol nu,
Eux tous et moi, vieilles défroques,
Dont les enfants se moquent[1].

PÈLERINAGE

Où vont les vieux paysans noirs
Par les chemins en or des soirs[1] ?

A grands coups d'ailes affolées,
En leurs toujours folles volées,
Les moulins fous fauchent le vent.

Le cormoran des temps d'automne
Jette au ciel triste et monotone
Son cri sombre comme la nuit.

C'est l'heure brusque de la terreur,
Où passe, en son charroi d'horreur,
Le vieux Satan des moissons fausses.

Par la campagne en grand deuil d'or,
Où vont les vieux silencieux ?

Quelqu'un a dû frapper l'été
De mauvaise fécondité :
Le blé haut ne fut que paille,

Les bonnes eaux n'ont point coulé
Par les veines du champ brûlé ;
Quelqu'un a dû frapper les sources ;

Quelqu'un a dû sécher la vie,
Comme une gorge inassouvie
Vide d'un trait le fond d'un verre.

Par la campagne en grand deuil d'or,
Où vont les vieux et leur misère ?

L'âpre semeur des mauvais germes,
Au temps de mai baignant les fermes,
Les vieux l'ont tous senti passer.

Ils l'ont surpris morne et railleur,
Penché sur la campagne en fleur ;
Plein de foudre, comme l'orage.

Les vieux n'ont rien osé se dire.
Mais tous ont entendu son rire
Courir de taillis en taillis.

Or, ils savent par quel moyen
On peut fléchir Satan païen,
Qui reste maître des moissons.

Par la campagne en grand deuil d'or,
Où vont les vieux et leur frisson ?

L'âpre semeur du mauvais blé
Entend venir ce défilé
D'hommes qui se taisent et marchent.

Il sait que seuls ils ont encore,
Au fond du cœur qu'elle dévore,
Toute la peur de l'inconnu ;

Qu'obstinément ils dérobent en eux
Son culte sombre et lumineux,
Comme un minuit blanc de mercure,

Et qu'ils redoutent les révoltes,
Et qu'ils supplient pour leurs récoltes
Plus devant lui que devant Dieu.

Par la campagne en grand deuil d'or,
Où vont les vieux porter leur vœu ?

Le Satan noir des champs brûlés
Et des fermiers ensorcelés
Qui font des croix de la main gauche,

Ce soir, à l'heure où l'horizon est rouge
Contre un arbre dont rien ne bouge,
Depuis une heure est accoudé.

Les vieux ont pu l'apercevoir,
Avec ses yeux dardés vers eux,
D'entre ses cils de chardons morts.

Ils ont senti qu'il écoutait
Les silences de leur souhait
Et leur prière uniquement pensée.

Alors, subitement,
En un grand feu de tourbe et de branches coupées
Ils ont jeté un chat vivant.

Regards éteints, pattes crispées,
La bête est morte atrocement,

Pendant qu'au long des champs muets,
Sous le gel rude et le vent froid,
Chacun, par un chemin à soi,
Sans rien savoir s'en revenait.

CHANSON DE FOU

Brisez-leur pattes et vertèbres,
Chassez les rats, les rats.
Et puis versez du froment noir,
Le soir,
Dans les ténèbres.

Jadis, lorsque mon cœur cassa,
Une femme le ramassa
Pour le donner aux rats.

— Brisez-leur pattes et vertèbres.

Souvent je les ai vus dans l'âtre,
Taches d'encre parmi le plâtre,
Qui grignotaient ma mort.

— Brisez-leur pattes et vertèbres.

L'un d'eux, je l'ai senti
Grimper sur moi la nuit,
Et mordre encor le fond du trou
Que fit, dans ma poitrine,
L'arrachement de mon cœur fou.

— Brisez-leur pattes et vertèbres.

Ma tête à moi les vents y passent,
Les vents qui passent sous la porte,
Et les rats noirs de haut en bas
Peuplent ma tête morte.

— Brisez-leur pattes et vertèbres.

Car personne ne sait plus rien.
Et qu'importent le mal, le bien,
Les rats, les rats sont là, par tas,
Dites, verserez-vous, ce soir,
Le froment noir,
A pleines mains, dans les ténèbres ?

LES FIÈVRES

La plaine, au loin, est uniforme et morne
Et l'étendue est vide et grise
Et Novembre qui se précise
Bat l'infini, d'une aile grise[1].

Sous leurs torchis qui se lézardent,
Les chaumières, là-bas, regardent
Comme des bêtes qui ont peur,
Et seuls les grands oiseaux d'espace
Jettent sur les enclos sans fleurs
Le cri des angoisses qui passent.

L'heure est venue où les soirs mous
Pèsent sur les terres gangrenées,
Où les marais visqueux et blancs,
Dans leurs remous,
A longs bras lents,
Brassent les fièvres empoisonnées[2].

Parfois, comme un hoquet,
Un flot pâteux mine la rive

Et la glaise, comme un paquet,
Tombe dans l'eau de bile et de salive.

Puis tout s'apaise et s'aplanit ;
Des crapauds noirs, à fleur de boue,
Gonflent leur peau que deux yeux trouent ;
Et la lune monstrueuse préside,
Telle l'hostie
De l'inertie.

De la vase profonde et jaune
D'où s'érigent, longues d'une aune,
Les herbes d'eaux,
Des brouillards lents comme des traînes
Déplient leur flottement, parmi les draines[3] ;
On les peut suivre, à travers champs,
Vers les chaumes et les murs blancs ;
Leurs fils subtils de pestilence
Tissent la robe de silence,
Gaze verte, tulle blême,
Avec laquelle, au loin, la fièvre se promène,

La fièvre,
Elle est celle qui marche,
Sournoisement, courbée en arche,
Et personne n'entend son pas.
Si la poterne des fermes ne s'ouvre pas,
Si la fenêtre est close,
Elle pénètre quand même et se repose,
Sur la chaise des vieux que les ans ploient,
Dans les berceaux où les petits larmoient
Et quelquefois elle se couche
Aux lits profonds où l'on fait souche.

Avec ses vieilles mains dans l'âtre encor rougeâtre,
Elle attise les maladies
Non éteintes, mais engourdies ;
Elle se mêle au pain qu'on mange,
A l'eau morne changée en fange ;
Elle monte jusqu'aux greniers,
Dort dans les sacs et les paniers
Où s'entassent mille loques à vendre ;
Puis, un matin, de palier en palier
On écoute son pas sinistre et régulier
Descendre.

Inutiles, vœux et pèlerinages
Et seins où l'on abrite les petits
Et bras en croix vers les images
Des bons anges et des vieux Christs.
Le mal hâve s'est installé dans la demeure.
Il vient, chaque vesprée, à tel moment,
Déchiqueter la plainte et le tourment,
Au régulier tic-tac de l'heure ;
Et l'horloge surgit déjà
Comme quelqu'un qui sonnera,
Lorsque viendra l'instant de la raison finie,
L'agonie.

En attendant, les mois se passent à languir.
Les malades rapetissés,
Leurs genoux lourds, leurs bras cassés,
Avec, en main, leurs chapelets.
Quittant leur lit, s'y recouchant,
Fuyant la mort et la cherchant,
Bégaient et vacillent leurs plaintes,
Pauvres lumières, presque éteintes.

Ils se traînent de chaumière en chaumière
Et d'âtre en âtre,
Se voir et doucement s'apitoyer,
Sur la dîme d'hommes qu'il faut payer,
Atrocement, à leur terre marâtre ;
Des silences profonds coupent les litanies
De leurs misères infinies ;
Et quelquefois, ils se regardent
Au jour douteux de la fenêtre,
Sans rien se dire, avec des pleurs,
Comme s'ils voulaient se reconnaître
Lorsque leurs yeux seront ailleurs.

Ils se sentent de trop autour des tables
Où l'on mange rapidement
Un repas pauvre et lamentable ;
Leur cœur se serre, atrocement,
On les isole et les bêtes les flairent
Et les jurons et les colères
Volent autour de leur tourment.

Aussi, lorsque la nuit, ne dormant pas,
Ils s'agitent entre leurs draps,
Songeant qu'aux alentours, de village en village,
Les brouillards blancs sont en voyage,
Voudraient-ils ouvrir la porte
Pour que d'un coup la fièvre les emporte,
Vers les marais des landes
Où les mousses et les herbes s'étendent
Comme un tissu pourri de muscles et de glandes
Où s'écoute, comme un hoquet,
Un flot pâteux miner la rive,
Où leur corps mort, comme un paquet,
Choirait dans l'eau de bile et de salive.

Mais la lune, là-bas, préside,
Telle l'hostie
De l'inertie.

CHANSON DE FOU

Celui qui n'a rien dit
Est mort, le cœur muet,
Lorsque la nuit
Sonnait
Ses douze coups
Au cœur des minuits fous.

— Serrez-le vite en un linceul de paille,
Les poings noués, et qu'il s'en aille.

Celui qui n'a rien dit
M'a pris mon âme et mon esprit,
Il a sculpté mon crâne
En navet creux, où des chandelles
Font scintiller mes deux prunelles.

— Nouez-le donc, nouez le mort,
Rageusement, en son linceul de paille.

Celui qui n'a rien dit
Dormait, sous le rameau bénit,
Avec sa femme, en un grand lit,
Quand j'ai frappé comme une bête
Avec une pierre, contre sa tête.

Derrière le mur de son front
Battait mon cerveau noir :
Matin et soir, je l'entendais
Et le voyais qui m'invoquait
D'un rythme lourd comme un hoquet ;
Il se plaignait de tant souffrir
Et d'être là, hors de moi-même, et d'y pourrir
Comme les loques d'une viande
Pendue au clou, au fond d'un trou.

Celui qui n'a rien dit, même des yeux,
Qu'on lui coupe le cœur en deux,
Et qu'il s'en aille
En son linceul de paille.

Que sa femme qui le réclame
Et hurle après son âme,
Ainsi qu'une chienne, la nuit,
Se taise ou bien s'en aille aussi
Comme servante ou bien vassale.
Moi je veux être
Le maître
D'une cervelle colossale.

— Nouez le mort en de la paille
Comme un paquet de ronces ;

Et qu'on piétine et qu'on travaille
La terre où il s'enfonce.

Je suis le fou des longues plaines,
Infiniment, que bat le vent
A grands coups d'ailes,
Comme les peines éternelles ;
Le fou qui veut rester debout,
Avec sa tête jusqu'au bout
Des temps futurs, où Jésus-Christ
Viendra juger l'âme et l'esprit,
Comme il est dit.
Ainsi soit-il.

LE PÉCHÉ

Sur sa butte que le vent gifle,
Il tourne et fauche et ronfle et siffle,
Le vieux moulin des péchés vieux
Et des forfaits astucieux.

Il geint des pieds jusqu'à la tête,
Sur fond d'orage et de tempête,
Lorsque l'automne et les nuages
Frôlent son toit de leurs voyages.

Sur la campagne abandonnée
Il apparaît une araignée
Colossale, tissant ses toiles
Jusqu'aux étoiles.

C'est le moulin des vieux péchés.

Qui l'écoute, parmi les routes,
Entend battre le cœur du diable,
Dans sa carcasse insatiable.

Un travail d'ombre et de ténèbres
S'y fait, pendant les nuits funèbres
Quand la lune fendue
Gît là, sur le carreau de l'eau,
Comme une hostie atrocement mordue.

C'est le moulin de la ruine
Qui moud le mal et le répand aux champs
Infini, comme une bruine.

Ceux qui sournoisement écornent
Le champ voisin en déplaçant les bornes ;
Ceux qui, valets d'autrui, sèment l'ivraie
Au lieu de l'orge vraie ;
Ceux qui jettent les poisons verts dans l'eau
Où l'on amène le troupeau ;
Ceux qui, par les nuits seules,
En brasiers d'or font éclater les meules,
Tous passèrent par le moulin.

Encore :

Les vieux jeteurs de sorts et les sorcières
Que vont trouver les filles-mères ;
Ceux qui cachent dans les fourrés

Leurs ruts sinistrement vociférés ;
Ceux qui n'aiment la chair que si le sang
Gicle aux yeux, frais et luisant ;
Ceux qui s'entr'égorgent, à couteaux rouges,
Volets fermés, au fond des bouges :
Ceux qui scrutent l'espace
Avec, au bout du poing, la mort pour tel qui passe,
Tous passèrent par le moulin.

Aussi :

Les vagabonds qui habitent des fosses
Avec leurs filles qu'ils engrossent ;
Les fous qui choisissent des bêtes
Pour assouvir leur rage et ses tempêtes ;
Les mendiants qui déterrent les mortes
Atrocement et les emportent ;
Les couples noirs, pervers et vieux,
Qui instruisent l'enfant à coucher entre eux deux ;
Tous passèrent par le moulin.

Tous sont venus, sournoisement,
Choisissant l'heure et le moment,
Avec leurs chiens et leurs brouettes,
Et leurs ânes et leurs charrettes ;
Tous sont venus, jeunes et vieux,
Pour emporter jusque chez eux
Le mauvais grain, coûte que coûte ;
Et quand ils sont redescendus
Par les sentes du haut talus,
Les grand'routes charriaient toutes
Infiniment, comme des veines,
Le sang du mal, parmi les plaines.

Et le moulin tournait au fond des soirs
La croix grande de ses bras noirs,
Avec des feux, comme des yeux,
Dans l'orbite de ses lucarnes
Dont les rayons gagnaient les loins.
Parfois, s'illuminaient des coins,
Là-bas, dans la campagne morne,
Et l'on voyait les porteurs gourds,
Ployant au faix des péchés lourds,
Hagards et las, buter de borne en borne[1].

CHANSON DE FOU

Vous aurez beau crier contre la terre,
La bouche dans le fossé,
Jamais aucun des trépassés
Ne répondra à vos clameurs amères.

Ils sont bien morts, les morts,
Ceux qui firent jadis la campagne féconde ;
Ils font l'immense entassement de morts
Qui pourrissent, aux quatre coins du monde,
Les morts.

Alors
Les champs étaient maîtres des villes,
Le même esprit servile
Ployait partout les fronts et les échines,
Et nul encor ne pouvait voir
Dressés, au fond du soir,
Les bras hagards et formidables des machines.

Vous aurez beau crier contre la terre,
La bouche dans le fossé :
Ceux qui jadis étaient les trépassés
Sont aujourd'hui, jusqu'au fond de la terre,
Les morts.

LES MENDIANTS

Les jours d'hiver quand le froid serre
Le bourg, le clos, le bois, la fange[1],
Poteaux de haine et de misère,
Par l'infini de la campagne,
Les mendiants ont l'air de fous.

Dans le matin, lourds de leur nuit,
Ils s'enfoncent au creux des routes,
Avec leur pain trempé de pluie
Et leur chapeau comme la suie
Et leurs grands dos comme des voûtes
Et leurs pas lents rythmant l'ennui ;
Midi les arrête dans les fossés
Pour leur repas ou leur sieste ;
On les dirait immensément lassés
Et résignés aux mêmes gestes ;
Pourtant, au seuil des fermes solitaires,
Ils surgissent, parfois, tels des filous,
Le soir, dans la brusque lumière
D'une porte ouverte tout à coup.

Les mendiants ont l'air de fous.

Ils s'avancent, par l'âpreté
Et la stérilité du paysage,
Qu'ils reflètent, au fond des yeux
Tristes de leur visage ;
Avec leurs hardes et leurs loques
Et leur marche qui les disloque,
L'été, parmi les champs nouveaux,
Ils épouvantent les oiseaux ;
Et maintenant que Décembre sur les bruyères
S'acharne et mord
Et gèle, au fond des bières,
Les morts,
Un à un, ils s'immobilisent
Sur des chemins d'église,
Mornes, têtus et droits,
Les mendiants, comme des croix.

Avec leur dos comme un fardeau
Et leur chapeau comme la suie,
Ils habitent les carrefours
Du vent et de la pluie.

Ils sont le monotone pas
— Celui qui vient et qui s'en va
Toujours le même et jamais las —
De l'horizon vers l'horizon.
Ils sont l'angoisse et le mystère
Et leurs bâtons sont les battants
Des cloches de misère
Qui sonnent à mort sur la terre.

Aussi, lorsqu'ils tombent enfin,
Séchés de soif, troués de faim,

Et se terrent comme des loups,
Au fond d'un trou,
Ceux qui s'en viennent,
Après les besognes quotidiennes,
Ensevelir à la hâte leur corps
Ont peur de regarder en face
L'éternelle menace
Qui luit sous leur paupière, encor.

LA KERMESSE

Avec colère, avec détresse,
Avec ses refrains de quadrilles,
Qui sautèlent sur leurs béquilles,
L'orgue canaille et lourd,
Au fond du bourg,
Moud la kermesse.

Quelques étaux au coin des bornes,
Et quelques vieilles gens,
Au seuil d'un portail morne[1].

Avec colère, avec détresse, avec blasphème,
Mais, vers la fête,
Quand même,
L'orgue s'entête.

Sa musique de tintamarres
Se casse, en des bagarres
De cuivre vert et de fer-blanc,
Et crie et grince dans le vide,

Obstinément,
Sa note acide.

Sur la place, l'église,
Sous le cercueil de ses grands toits
Et les linceuls de ses murs droits,
Tait les reproches
Solennels de ses cloches ;
Un charlatan, sur un tréteau,
Pantalon rouge et vert manteau,
Vend, à grands cris, la vie ;
Puis échange, contre des sous,
Son remède pour loups-garous
Et l'histoire de point en point suivie,
Sur sa pancarte,
D'un bossu noir qu'il délivra de fièvre quarte.

Et l'orgue rage
Son quadrille sauvage.

Et personne, des hameaux proches,
N'est accouru ;
Vides les étables, vides les poches,
Et rien que la mort et la faim
Dont se peuple l'armoire à pain ;
Dans la misère qui les soude
On sent que les hameaux se boudent,
Qu'entre filles et gars d'amour
La pauvreté découd les alliances
Et que les jours suivant les jours
Chacun des bourgs
Fait son silence avec ses défiances.

L'orgue grinçant et faux,
Du fond de son armoire
D'architecture ostentatoire,
Criaille un bruit de faux
Et de cisailles.

Dans la salle de plâtre cru,
Où ses cris tors et discors, dru,
Contre des murs en lattes
Éclatent,
Des colonnes de verre et de tournants bâtons
— Clinquant et or — décorent son fronton ;
Et les concassants bruits des cors et des trompettes
Et les fifres, tels des forets,
Cinglent et trouent le cabaret
De leurs tempêtes
Et vont là-bas
Contre un pignon, avec fracas,
Broyer l'écho de la grand'rue.

Et l'orgue avec sa rage
S'ameute une dernière fois et rue
Des quatre fers de son tapage
Jusqu'aux enclos et jusqu'aux champs,
Jusqu'aux routes, jusqu'aux étangs,
Jusqu'aux meules de méteil,
Jusqu'au soleil ;
Et seuls dansent aux carrefours,
Jupons gonflés et sabots lourds,
Deux pauvres fous avec deux folles.

CHANSON DE FOU

Je suis celui qui vaticine
Comme les tours tocsinent.

J'ai vu passer à travers champs
Trois linceuls blancs
Qui s'avançaient, comme des gens.

Ils portaient des torches ignées,
Des faux blanches et des cognées.

Peu importe l'homme qu'on soit,
Moi seul je vois
Les maux qui dans les cieux flamboient.

Le sol et les germes sont condamnés,
— Vœux et larmes sont superflus —
Bientôt,
Les corbeaux noirs n'en voudront plus,
Ni la taupe ni le mulot.

Je suis celui qui vaticine
Comme les tours tocsinent.

Les fruits des espaliers se tuméfient
Dans les feuillages noirs ;
Les pousses jeunes s'atrophient ;
Les grains dans les semoirs,
Subitement, fermentent ;
Le soleil ment, les saisons mentent ;
Le soir, sur les plaines envenimées,
C'est un vol d'ailes allumées
De soufre roux et de fumées.

J'ai vu des linceuls blancs
Entrer, comme des gens,
Qu'un même vouloir coalise,
L'un après l'autre, dans l'église ;
Ceux qui priaient au chœur,
Manquant de force et de ferveur,
Les mains lâches s'en sont allés.
Et depuis lors, moi seul j'entends
Baller
La nuit, le jour, toujours,
La fête
Des tocsins fous contre ma tête.

Je suis celui qui vaticine
Ce que les tours tocsinent.

Au long des soirs et des années,
Les fronts et les bras obstinés

Se buteront en vain aux destinées ;
Irrémissiblement,
Le sol et les germes sont damnés.

Dire le temps que durera leur mort ?
Et si l'heure resurgira
Où le vrai pain vaudra,
Sous les cieux purs de la vieille nature,
L'antique effort ?

Mais il ne faut jamais conclure.

En attendant voici que passent
A travers champs,
D'autres linceuls vides et blancs
Qui se parlent comme des gens.

LE FLÉAU

La Mort a bu du sang
Au cabaret des Trois Cercueils.

La Mort a mis sur le comptoir
Un écu noir,
— « C'est pour les cierges et pour les deuils. »

Des gens s'en sont allés
Tout lentement
Chercher le sacrement.

On a vu cheminer le prêtre
Et les enfants de chœur,
Vers les maisons de l'affre et du malheur
Dont on fermait toutes fenêtres.

La Mort a bu du sang.
Elle en est soûle.

— « Notre Mère la Mort, pitié ! pitié !
Ne bois ton verre qu'à moitié,
Notre Mère la Mort, c'est nous les mères.
C'est nous les vieilles à manteaux,
Avec nos cœurs, avec nos maux,
Qui marmonnons du désespoir
En chapelets interminables ;
Notre Mère la Mort, pitié ! pitié !
C'est nous les béquillantes et minables
Vieilles, tannées
Par la misère et les années :
Nos corps sont prêts pour tes tombeaux,
Nos seins sont prêts pour tes couteaux. »

— La Mort, dites, les bonnes gens,
La Mort est soûle :
Sa tête oscille et roule
Comme une boule.

La Mort a bu du sang
Comme un vin frais et bienfaisant ;
La Mort a mis sur le comptoir
Un écu noir,
Elle en voudra pour ses argents
Au cabaret des pauvres gens.

— « Notre-Dame la Mort, c'est nous les vieux des
Tumultuaires ;   [guerres
Notre-Dame des drapeaux noirs
Et des débâcles dans les soirs,
Notre-Dame des glaives et des balles
Et des crosses contre les dalles,

Toi, notre vierge et notre orgueil,
Toujours si fière et droite, au seuil
Du palais d'or de nos grands rêves :
Notre-Dame la Mort, toi, qui te lèves,
Au battant de nos tambours,
Obéissante — et qui, toujours,
Nous enseigna l'audace et le courage,
Notre-Dame la Mort, cesse ta rage
Et daigne enfin nous voir et nous entendre
Puisqu'ils n'ont point appris, nos fils, à se défendre. »

— La Mort, dites, les vieux verbeux,
La Mort est soûle,
Comme un flacon qui roule
Sur la pente des chemins creux.
La Mort n'a pas besoin
De votre mort au bout du monde,
C'est au pays qu'elle enfonce la bonde
Du tonneau rouge.

— « Dame la Mort, c'est moi la Sainte Vierge
Qui viens en robe d'or chez vous,
Vous supplier à deux genoux
D'avoir pitié des gens de mon village.
Dame la Mort, c'est moi, la Sainte Vierge,
De l'ex-voto, près de la berge,
C'est moi qui fus de mes pleurs inondée
Au Golgotha, dans la Judée,
Sous Hérode, voici mille ans.

Dame la Mort, c'est moi, la Sainte Vierge
Qui fis promesse aux gens d'ici
De m'en venir crier merci

Dans leurs détresses et leurs peines ;
Dame la Mort, c'est moi la Sainte Vierge. »

— La Mort, dites, la bonne Dame,
Se sent au cœur comme une flamme
Qui, de là, monte à son cerveau.
La Mort a soif de sang nouveau.
La Mort est soûle,
Un seul désir comme une houle,
Remplit sa brumeuse pensée.
La Mort n'est point celle qu'on éconduit
Avec un peu de prière et de bruit,
La Mort s'est lentement lassée
D'avoir pitié du désespoir ;
Bonne Vierge des reposoirs,
La Mort est soûle
Et sa fureur, hors des ornières,
Par les chemins des cimetières,
Bondit et roule
Comme une boule.

— « La Mort, c'est moi, Jésus, le Roi,
Qui te fis grande ainsi que moi
Pour que s'accomplisse la loi
Des choses en ce monde.
La Mort, je suis la manne d'or
Qui s'éparpille du Thabor[1]
Divinement, jusqu'aux confins du monde.
Je suis celui qui fus pasteur,
Chez les humbles, pour le Seigneur ;
Mes mains de gloire et de splendeur
Ont rayonné sur la douleur ;
La Mort, je suis la paix du monde. »

— La Mort, dites, le Seigneur Dieu,
Est assise, près d'un bon feu,
Dans une auberge où le vin coule
Et n'entend rien, tant elle est soûle.
Elle a sa faux et Dieu a son tonnerre.
En attendant, elle aime à boire et le fait voir
A quiconque voudrait s'asseoir,
Côte à côte, devant un verre.

Jésus, les temps sont vieux,
Et chacun boit comme il le peut
Et qu'importent les vêtements sordides
Lorsque le sang nous fait les dents splendides.

Et la Mort s'est mise à boire, les pieds au feu ;
Elle a même laissé s'en aller Dieu
Sans se lever sur son passage ;
Si bien que ceux qui la voyaient assise
Ont cru leur âme compromise.

Durant des jours et puis des jours encor, la Mort
A fait des dettes et des deuils,
Au cabaret des Trois Cercueils ;
Puis, au matin, elle a ferré son cheval d'os,
Mis son bissac au creux du dos
Pour s'en aller à travers la campagne.
De chaque bourg et de chaque village,
Les gens s'en sont venus vers elle avec du vin,
Pour qu'elle n'ait ni soif, ni faim,
Et ne fît halte au coin des routes ;
Les vieux portaient de la viande et du pain,
Les femmes des paniers et des corbeilles

Et les fruits clairs de leur verger,
Et les enfants portaient des miels d'abeilles.

La Mort a cheminé longtemps,
Par le pays des pauvres gens,
Sans trop vouloir, sans trop songer,
La tête soûle
Comme une boule.

Elle portait une loque de manteau roux,
Avec de grands boutons de veste militaire,
Un bicorne piqué d'un plumet réfractaire
Et des bottes jusqu'aux genoux.
Son fantôme de cheval blanc
Cassait un vieux petit trot lent
De bête ayant la goutte
Sur les pierres de la grand'route ;
Et les foules suivaient vers n'importe où
Le grand squelette aimable et soûl
Qui souriait de leur panique
Et qui sans crainte et sans horreur
Voyait se tordre, au creux de sa tunique,
Un trousseau de vers blancs qui lui tétaient le cœur.

CHANSON DE FOU

Les rats du cimetière proche,
Midi sonnant,
Bourdonnent dans la cloche.

Ils ont mordu le cœur des morts
Et s'engraissent de ses remords.

Ils dévorent le ver qui mange tout
Et leur faim dure jusqu'au bout.

Ce sont des rats
Mangeant le monde
De haut en bas.

L'église ? — elle était large et solennelle
Avec la foi des pauvres gens en elle,
Et la voici anéantie

Depuis qu'ils ont, les rats,
Mangé l'hostie.

Les blocs de granit se déchaussent,
Les niches d'or comme des fosses
S'entr'ouvrent vides ;
Toute la gloire évocatoire
Tombe des hauts piliers et des absides
Au son des glas.

Les rats,
Ils ont rongé les auréoles bénévoles,
Les jointes mains
De la croyance aux lendemains,
Les tendresses mystiques
Au fond des yeux des extatiques
Et les baisers de la prière
Sur les bouches de la misère ;
Les rats,
Ils ont rongé le bourg entier
De haut en bas,
Comme un grenier.

Aussi
Que maintenant s'en aillent
Les tocsins fous ou les sonnailles
Criant pitié, criant merci,
Hurlant, par au-delà des toits,
Jusqu'aux échos qui meuglent,
Nul plus n'entend et personne ne voit :
Puisqu'elle est l'âme des champs,
Pour bien longtemps,
Aveugle.

Et les seuls rats du cimetière proche,
A l'Angelus hoquetant et tintant,
Causent avec la cloche.

LE DÉPART

Traînant leurs pas après leurs pas
Le front pesant et le cœur las[1],
S'en vont, le soir, par la grand'route,
Les gens d'ici, buveurs de pluie,
Lécheurs de vent, fumeurs de brume.

Les gens d'ici n'ont rien de rien,
Rien devant eux
Que l'infini de la grand'route.

Chacun porte au bout d'une gaule,
Dans un mouchoir à carreaux bleus,
Chacun porte dans un mouchoir,
Changeant de main, changeant d'épaule,
Chacun porte
Le linge usé de son espoir.

Les gens s'en vont, les gens d'ici,
Par la grand'route à l'infini.

L'auberge est là, près du bois nu,
L'auberge est là de l'inconnu ;
Sur ses dalles, les rats trimballent
Et les souris.

L'auberge, au coin des bois moisis,
Grelotte, avec ses murs mangés,
Avec son toit comme une teigne,
Avec le bras de son enseigne
Qui tend au vent un os rongé.

Les gens d'ici sont gens de peur :
Ils font des croix sur leur malheur
Et tremblent ;
Les gens d'ici ont dans leur âme
Deux tisons noirs, mais point de flamme,
Deux tisons noirs en croix.

Les gens d'ici sont gens de peur ;
Et leurs autels n'ont plus de cierges
Et leur encens n'a plus d'odeur :
Seules, en des niches désertes,
Quelques roses tombent inertes
Autour d'un Christ en plâtre peint.

Les gens d'ici ont peur de l'ombre sur leurs
De la lune sur leurs étangs,   [champs,
D'un oiseau mort contre une porte ;
Les gens d'ici ont peur des gens.

Les gens d'ici sont malhabiles,
La tête lente et les cerveaux débiles
Quoique tannés d'entêtement ;
Ils sont ladres, ils sont minimes
Et s'ils comptent c'est par centimes,
Péniblement, leur dénuement.

Avec leur chat, avec leur chien,
Avec l'oiseau dans une cage,
Avec, pour vivre, un seul moyen :
Boire son mal, taire sa rage ;
Les pieds usés, le cœur moisi,
Les gens d'ici,
Quittant leur gîte et leur pays,
S'en vont, ce soir, vers l'infini.

Les mères traînent à leurs jupes
Leur trousseau long d'enfants bêlants,
Trinqueballés, trinqueballants[2] ;
Les yeux clignants des vieux s'occupent
A refixer, une dernière fois,
Leur coin de terre morne et grise,
Où mord l'averse, où mord la bise,
Où mord le froid.
Suivent les gars des bordes[3],
Les bras maigres comme des cordes,
Sans plus d'orgueil, sans même plus
Le moindre élan vers les temps révolus
Et le bonheur des autrefois,
Sans plus la force en leurs dix doigts
De se serrer en poings contre le sort
Et la colère de la mort.

Les gens des champs, les gens d'ici
Ont du malheur à l'infini.

Leurs brouettes et leurs charrettes
Trinqueballent aussi,
Cassant, depuis le jour levé,
Les os pointus du vieux pavé :
Quelques-unes, plus grêles que squelettes,
Entrechoquent des amulettes
A leurs brancards,
D'autres grincent, les ais criards,
Comme les seaux dans les citernes ;
D'autres portent de vieillottes lanternes.

Les chevaux las
Secouent, à chaque pas,
Le vieux lattis de leur carcasse ;
Le conducteur s'agite et se tracasse,
Comme quelqu'un qui serait fou,
Lançant parfois vers n'importe où,
Dans les espaces,
Une pierre lasse
Aux corbeaux noirs du sort qui passe.

Les gens d'ici
Ont du malheur — et sont soumis.

Et les troupeaux rêches et maigres,
Par les chemins râpés et par les sablons aigres,
Également sont les chassés,
Aux coups de fouet inépuisés

Des famines qui exterminent :
Moutons dont la fatigue à tout caillou ricoche,
Bœufs qui meuglent vers la mort proche,
Vaches lentes et lourdes
Aux pis vides comme des gourdes.

Ainsi s'en vont bêtes et gens d'ici,
Par le chemin de ronde
Qui fait dans la détresse et dans la nuit,
Immensément, le tour du monde,
Venant, dites, de quels lointains,
Par à travers les vieux destins,
Passant les bourgs et les bruyères,
Avec, pour seul repos, l'herbe des cimetières,
Allant, roulant, faisant des nœuds
De chemins noirs et tortueux,
Hiver, automne, été, printemps,
Toujours lassés, toujours partant
De l'infini pour l'infini[4].

Tandis qu'au loin, là-bas,
Sous les cieux lourds, fuligineux et gras,
Avec son front comme un Thabor,
Avec ses suçoirs noirs et ses rouges haleines
Hallucinant et attirant les gens des plaines,
C'est la ville que la nuit formidable éclaire,
La ville en plâtre, en stuc, en bois, en fer, en or,
— Tentaculaire.

LA BÊCHE

Le gel durcit les eaux ; le vent blêmit les nues.

A l'orient du pré, dans le sol rêche
Est là qui monte et grelotte, la bêche
Lamentable et nue.

— Fais une croix sur le sol jaune
Avec la longue main,
Toi qui t'en vas, par le chemin —

La chaumière d'humidité verdâtre
Et ses deux tilleuls foudroyés
Et des cendres dans l'âtre
Et sur le mur encor le piédestal de plâtre,
Mais la Vierge tombée à terre.

— Fais une croix vers les chaumières
Avec la longue main de paix et de lumière —

Des crapauds morts dans les ornières infinies
Et des poissons dans les roseaux
Et puis un cri toujours plus pauvre et lent d'oiseau,
Infiniment, là-bas, un cri à l'agonie.

— Fais une croix avec ta main
Pitoyable, sur le chemin —

Dans la lucarne vide de l'étable
L'araignée a tissé l'étoile de poussière ;
Et la ferme sur la rivière,
Par à travers ses chaumes lamentables,
Comme des bras aux mains coupées,
Croise ses poutres d'outre en outre.

— Fais une croix sur le demain,
Définitive, avec ta main —

Un double rang d'arbres et de troncs nus sont abattus,
Au long des routes en déroutes,
Les villages — plus même de cloches pour y sonner
Le hoquetant dies irae
Désespéré, vers l'écho vide et ses bouches cassées.

— Fais une croix aux quatre coins des horizons.

Car c'est la fin des champs et c'est la fin des soirs ;
Le deuil au fond des cieux tourne, comme des meules,
Ses soleils noirs ;
Et des larves éclosent seules
Aux flancs pourris des femmes qui sont mortes.

A l'orient du pré, dans le sol rêche,
Sur le cadavre épars des vieux labours,
Domine là, et pour toujours,
Plaque de fer clair, latte de bois froid,
La bêche.

LES VILLES
TENTACULAIRES

(1895)

*Au poète
Henri de Régnier*[1]

LA PLAINE

La plaine est morne, avec ses clos, avec ses granges
Et ses fermes dont les pignons sont vermoulus,
La plaine est morne et lasse et ne se défend plus,
La plaine est morne et morte — et la ville la mange.

Formidables et criminels,
Les bras des machines diaboliques,
Fauchant les blés évangéliques,
Ont effrayé le vieux semeur mélancolique
Dont le geste semblait d'accord avec le ciel.

L'orde[1] fumée et ses haillons de suie
Ont traversé le vent et l'ont sali :
Un soleil pauvre et avili
S'est comme usé en de la pluie.

Et maintenant, où s'étageaient les maisons claires
Et les vergers et les arbres parsemés d'or,
On aperçoit, à l'infini, du sud au nord,
La noire immensité des usines rectangulaires[2].

Telle une bête énorme et taciturne
Qui bourdonne derrière un mur,
Le ronflement s'entend, rythmique et dur,
Des chaudières et des meules nocturnes ;
Le sol vibre, comme s'il fermentait,
Le travail bout comme un forfait,
L'égout charrie une fange velue
Vers la rivière qu'il pollue ;
Un supplice d'arbres écorchés vifs
Se tord, bras convulsifs,
En façade, sur le bois proche ;
L'ortie épuise au cœur les sablons et les oches[3],
Et des fumiers, toujours plus hauts, de résidus
— Ciments huileux, plâtras pourris, moellons fendus —
Au long de vieux fossés et de berges obscures
Lèvent, le soir, des monuments de pourriture.

Sous des hangars tonnants et lourds,
Les nuits, les jours,
Sans air ni sans sommeil,
Des gens peinent loin du soleil :
Morceaux de vie en l'énorme engrenage,
Morceaux de chair fixée, ingénieusement,
Pièce par pièce, étage par étage,
De l'un à l'autre bout du vaste tournoiement.
Leurs yeux sont devenus les yeux de la machine ;
Leur corps entier : front, col, torse, épaules, échine,
Se plie aux jeux réglés du fer et de l'acier ;
Leurs mains et leurs dix doigts courent sur des claviers
Où cent fuseaux de fil tournent et se dévident ;
Et mains promptes et doigts rapides
S'usent si fort,
Dans leur effort
Sur la matière carnassière,
Qu'ils y laissent, à tout moment,
Des empreintes de rage et des gouttes de sang.

Dites ! l'ancien labeur pacifique, dans l'Août
Des seigles mûrs et des avoines rousses,
Avec les bras au clair, le front debout,
Quand l'or des blés ondule et se retrousse
Vers l'horizon torride où le silence bout.

Dites ! le repos tiède et les midis élus,
Tressant de l'ombre pour les siestes,
Sous les branches, dont les vents prestes
Rythment, avec lenteur, les grands gestes feuillus.
Dites, la plaine entière ainsi qu'un jardin gras,
Toute folle d'oiseaux éparpillés dans la lumière,
Qui la chantent, avec leurs voix plénières,
Si près du ciel qu'on ne les entend pas.

Mais aujourd'hui, la plaine ? — elle est finie ;
La plaine est morne et ne se défend plus :
Le flux des ruines et leur reflux
L'ont submergée, avec monotonie.

On ne rencontre, au loin, qu'enclos rapiécés
Et chemins noirs de houille et de scories
Et squelettes de métairies
Et trains coupant soudain les villages en deux.

Les Madones ont tu leurs voix d'oracle
Au coin du bois, parmi les arbres ;
Et les vieux saints et leurs socles de marbre
Ont chu dans les fontaines à miracles.

Et tout est là, comme des cercueils vides,
— Seuils et murs lézardés et toitures fendues —
Et tout se plaint ainsi que les âmes perdues
Qui sanglotent le soir dans la bruyère humide.

Hélas ! la plaine, hélas ! elle est finie !
Et ses clochers sont morts et ses moulins perclus.
La plaine, hélas ! elle a toussé son agonie
Dans les derniers hoquets d'un angelus.

L'ÂME DE LA VILLE

Les toits semblent perdus
Et les clochers et les pignons fondus,
Dans ces matins fuligineux et rouges,
Où, feu à feu, des signaux bougent.

Une courbe de viaduc énorme
Longe les quais mornes et uniformes ;
Un train s'ébranle immense et las.

Là-bas,
Un steamer rauque avec un bruit de corne.

Et par les quais uniformes et mornes,
Et par les ponts et par les rues,
Se bousculent, en leurs cohues,
Sur des écrans de brumes crues,
Des ombres et des ombres.

Un air de soufre et de naphte s'exhale ;
Un soleil trouble et monstrueux s'étale ;
L'esprit soudainement s'effare
Vers l'impossible et le bizarre ;
Crime ou vertu, voit-il encor
Ce qui se meut en ces décors,
Où, devant lui, sur les places, s'exalte
Ailes grandes, dans le brouillard
Un aigle noir avec un étendard,
Entre ses serres de basalte.

O les siècles et les siècles sur cette ville,
Grande de son passé
Sans cesse ardent — et traversé,
Comme à cette heure, de fantômes !
O les siècles et les siècles sur elle,
Avec leur vie immense et criminelle
Battant — depuis quels temps ? —
Chaque demeure et chaque pierre
De désirs fous ou de colères carnassières !

Quelques huttes d'abord et quelques prêtres :
L'asile à tous, l'église et ses fenêtres
Laissant filtrer la lumière du dogme sûr
Et sa naïveté vers les cerveaux obscurs.
Donjons dentés, palais massifs, cloîtres barbares ;
Croix des papes dont le monde s'effare ;
Moines, abbés, barons, serfs et vilains ;
Mitres d'orfroi, casques d'argent, vestes de lin ;
Luttes d'instincts, loin des luttes de l'âme
Entre voisins, pour l'orgueil vain d'une oriflamme ;
Haines de sceptre à sceptre et monarques faillis
Sur leur fausse monnaie ouvrant leurs fleurs de lys,
Taillant le bloc de leur justice à coups de glaive
Et la dressant et l'imposant, grossière et brève.

Puis, l'ébauche, lente à naître, de la cité :
Forces qu'on veut dans le droit seul planter ;
Ongles du peuple et mâchoires de rois ;
Mufles crispés dans l'ombre et souterrains abois
Vers on ne sait quel idéal au fond des nues ;
Tocsins brassant, le soir, des rages inconnues ;
Flambeaux de délivrance et de salut, debout
Dans l'atmosphère énorme où la révolte bout ;
Livres dont les pages, soudain intelligibles,
Brûlent de vérité, comme jadis les Bibles ;
Hommes divins et clairs, tels des monuments d'or
D'où les événements sortent armés et forts ;
Vouloirs nets et nouveaux, consciences nouvelles
Et l'espoir fou, dans toutes les cervelles,
Malgré les échafauds, malgré les incendies
Et les têtes en sang au bout des poings brandies.

Elle a mille ans la ville,
La ville âpre et profonde ;
Et sans cesse, malgré l'assaut des jours
Et des peuples minant son orgueil lourd,
Elle résiste à l'usure du monde.
Quel océan, ses cœurs ! quel orage, ses nerfs !
Quels nœuds de volontés serrés en son mystère !
Victorieuse, elle absorbe la terre,
Vaincue, elle est l'attrait de l'univers ;
Toujours, en son triomphe ou ses défaites,
Elle apparaît géante, et son cri sonne et son nom
Et la clarté que font ses feux d'or dans la nuit   [luit,
Rayonne au loin, jusqu'aux planètes !

O les siècles et les siècles sur elle !

Son âme, en ces matins hagards,
Circule en chaque atome
De vapeur lourde et de voiles épars,
Son âme énorme et vague, ainsi que ses grands
Qui s'estompent dans le brouillard.   [dômes
Son âme errante en chacune des ombres
Qui traversent ses quartiers sombres,
Avec une ardeur neuve au bout de leur pensée,
Son âme formidable et convulsée,
Son âme, où le passé ébauche
Avec le présent net l'avenir encor gauche.

O ce monde de fièvre et d'inlassable essor
Rué, à poumons lourds et haletants,
Vers on ne sait quels buts inquiétants ?
Monde promis pourtant à des lois d'or,
A des lois claires, qu'il ignore encor
Mais qu'il faut, un jour, qu'on exhume,
Une à une, du fond des brumes.
Monde aujourd'hui têtu, tragique et blême
Qui met sa vie et son âme dans l'effort même
Qu'il projette, le jour, la nuit,
A chaque heure, vers l'infini.

O les siècles et les siècles sur cette ville !

Le rêve ancien est mort et le nouveau se forge.
Il est fumant dans la pensée et la sueur
Des bras fiers de travail, des fronts fiers de lueurs,
Et la ville l'entend monter du fond des gorges
De ceux qui le portent en eux
Et le veulent crier et sangloter aux cieux.

Et de partout on vient vers elle,
Les uns des bourgs et les autres des champs,
Depuis toujours, du fond des loins ;
Et les routes éternelles sont les témoins
De ces marches, à travers temps,
Qui se rythment comme le sang
Et s'avivent, continuelles.

Le rêve ! il est plus haut que les fumées
Qu'elle renvoie envenimées
Autour d'elle, vers l'horizon ;
Même dans la peur ou dans l'ennui,
Il est là-bas, qui domine, les nuits,
Pareil à ces buissons
D'étoiles d'or et de couronnes noires,
Qui s'allument, le soir, évocatoires.

Et qu'importent les maux et les heures démentes,
Et les cuves de vice où la cité fermente,
Si quelque jour, du fond des brouillards et des voiles,
Surgit un nouveau Christ, en lumière sculpté,
Qui soulève vers lui l'humanité
Et la baptise au feu de nouvelles étoiles.

UNE STATUE[1]

On le croyait fondateur de la ville,
Venu de pays clairs et lointains,
Avec sa crosse entre les mains,
Et, sur son corps, une bure servile.

Pour se faire écouter il parlait par miracles,
En des clairières d'or, le soir, dans les forêts,
Où Loge et Thor[2] carraient leurs symboles épais
Et tonnaient leurs oracles.

Il était la tristesse et la douceur
Descendue autrefois, à genoux, du calvaire,
Vers les hommes et leur misère
Et vers leur cœur.

Il accueillait l'humanité fragile :
Il lui chantait le paradis sans fin
Et l'endormait dans un rêve divin,
Le front posé sur l'évangile.

Plus tard, le roi, le juge, et le bourreau
Prirent son verbe et le faussèrent ;
Et les textes autoritaires
Apparurent, tels des glaives, hors du fourreau.

Contre la paix qu'il avait inclinée
Vers tous, de son geste clément,
La vie, avec des cris et des sursauts déments,
Brusque et rouge, fut dégainée.

Mais lui resta le clair apôtre au front vermeil,
Aux yeux remplis de patience et d'indulgence,
Et la pieuse et populaire intelligence
Puisait auprès de lui la force et le conseil.

On l'invoquait pour les fièvres et pour les peines,
On le fêtait en mai, au soir tombant,
Et les mères et les vieillards et les enfants
Venaient baigner leurs maux dans l'eau de sa fontaine.

Son nom large et sonore d'amour
Marquait la fin des longues litanies
Et des complaintes infinies
Que l'on chantait, depuis toujours.

Il se perpétuait, près d'un portail roman,
En une image usée et tremblotante,
Qui écoutait, dans la poitrine
Haletante des tours,
Les bourdons lourds clamer au firmament.

LES CATHÉDRALES

Au fond du chœur monumental,
D'où leur splendeur s'érige
— Or, argent, diamant, cristal —
Lourds de siècles et de prestiges,
Pendant les vêpres, quand les soirs
Aux longues prières invitent,
Ils s'imposent, les ostensoirs,
Dont les fixes joyaux méditent.

Ils conservent, ornés de feu,
Pour l'universelle amnistie,
Le baiser blanc du dernier Dieu,
Tombé sur terre en une hostie.

Et l'église, comme un palais de marbres noirs,
Où des châsses d'argent et d'ombre
Ouvrent leurs yeux de joyaux sombres,
Par l'élan clair de ses colonnes exulte
Et dresse avec ses arcs et ses voussoirs
Jusqu'au faîte, l'éternité du culte.

Dans un encadrement de grands cierges qui
A travers temps et jours et heures,   [pleurent,
Les ostensoirs
Sont le seul cœur de la croyance
Qui luise encor, cristal et or,
Dans les villes de la démence.

Le bourdon sonne et sonne,
A grand battant tannant,
De larges glas qui sont les râles
Et les sursauts des cathédrales.
Et les foules qui tiennent droits,
Pour refléter le ciel, les miroirs de leur foi,
Réunissent, à ces appels, leurs âmes,
Autour des ostensoirs de flamme.

— O ces foules, ces foules,
Et la misère et la détresse qui les foulent !

Voici les pauvres gens des blafardes ruelles,
Barrant de croix, avec leurs bras tendus,
L'ombre noire qui dort dans les chapelles.

— O ces foules, ces foules,
Et la misère et la détresse qui les foulent !

Voici les corps usés, voici les cœurs fendus,
Voici les cœurs lamentables des veuves
En qui les larmes pleuvent,
Continûment, depuis des ans.

— O ces foules, ces foules
Et la misère et la détresse qui les foulent !

Voici les mousses et les marins du port
Dont les vagues monstrueuses bercent le sort.

— O ces foules, ces foules
Et la misère et la détresse qui les foulent !

Voici les travailleurs cassés de peine,
Aux six coups de marteaux des jours de la semaine.

— O ces foules, ces foules
Et la misère et la détresse qui les foulent !

Voici les enfants las de leur sang morne
Et qui mendient et qui s'offrent au coin des bornes.

— O ces foules, ces foules
Et la misère et la détresse qui les foulent[1] !

Voici les marguilliers massifs et mous
Qui font craquer leur stalle en pliant les genoux.

— O ces foules, ces foules
Et la misère et la détresse qui les foulent !

Voici les armateurs dont les bateaux de fer,
Fortune au vent, tanguent parmi la mer.

— O ces foules, ces foules
Et la misère et la détresse qui les foulent !

Voici les grands bourgeois de droit divin
Qui bâtissent sur Dieu la maison de leur gain.

— O ces foules, ces foules
Et la misère et la détresse qui les foulent !

Les ostensoirs, qu'on élève, le soir,
Vers les villes échafaudées
En toits de verre et de cristal,
Du haut du chœur sacerdotal,
Tendent la croix des gothiques idées.

Ils s'imposent dans l'or des clairs dimanches
— Toussaint, Noël, Pâques et Pentecôtes blanches —
Ils s'imposent dans l'or et dans les bruits de fête
Du grand orgue battant du vol de ses tempêtes
L'autel de marbre rouge et ses piliers vermeils ;
Ils sont une âme en du soleil,

Qui vit de vieux décor et d'antique mystère
Autoritaire.

Pourtant, dès que s'éteignent les grands cierges
Et les lampes veillant le cœur des saintes vierges,
Un deuil d'encens évaporé flotte et s'empreint
Sur les châsses d'argent et les tombeaux d'airain ;
Et les vitraux, peuplés de siècles rassemblés
Devant le Christ — avec leurs papes immobiles
Et leurs martyrs et leurs héros — semblent trembler
Au bruit d'un train lointain qui roule sur la ville.

UNE STATUE[1]

Au carrefour des abattoirs et des casernes,
Il apparaît, foudroyant et vermeil,
Le sabre en bel éclair dans le soleil.

Masque d'airain, bicorne d'or ;
Et l'horizon, là-bas, où le combat se tord,
Devant ses yeux hallucinés de gloire !

Un élan fou, un bond brutal
Jette en avant son geste et son cheval
Vers la victoire.

Il est volant comme une flamme,
Ici, plus loin, au bout du monde,
Qui le redoute et qui l'acclame.

Il entraîne, pour qu'en son rêve ils se confondent,
Dieu, son peuple, ses soldats ivres ;

Les astres mêmes semblent suivre,
Si bien que ceux
Qui se liguent pour le maudire
Restent béants : et son vertige emplit leurs yeux.

Il est de calcul froid, mais de force soudaine :
Des fers de volonté barricadent le seuil
Infrangible de son orgueil.

Il croit en lui — et qu'importe le reste !
Pleurs, cris, affres et noire et formidable fête,
Avec lesquels l'histoire est faite.

Il est la mort fastueuse et lyrique,
Montrée, ainsi qu'une conquête,
Au bout d'une existence en feu et en tempête.

Il ne regrette rien de ce qu'il accomplit,
Sinon que les ans brefs aillent trop vite
Et que la terre immense soit petite.

Il est l'idole et le fléau :
Le vent qui souffle autour de son front clair
Toucha celui des Dieux armés d'éclairs.

Il sent qu'il passe en brusque orage et que sa
Est de tomber comme un écroulement,   [destinée

Le jour où son étoile étrange et effrénée,
Cristal rouge, se cassera au firmament.

Au carrefour des abattoirs et des casernes,
Il apparaît, foudroyant et vermeil,
Le sabre en bel éclair dans le soleil.

LE PORT

Toute la mer va vers la ville !

Son port est surmonté d'un million de croix :
Vergues transversales barrant de grands mâts droits.

Son port est pluvieux de suie à travers brumes,
Où le soleil comme un œil rouge et colossal larmoie.

Son port est ameuté de steamers noirs qui fument
Et mugissent, au fond du soir, sans qu'on les voie.

Son port est fourmillant et musculeux de bras
Perdus en un fouillis dédalien d'amarres.

Son port est tourmenté de chocs et de fracas
Et de marteaux tonnant dans l'air leurs tintamarres.

Toute la mer va vers la ville !

Les flots qui voyagent comme les vents,
Les flots légers, les flots vivants,
Pour que la ville en feu l'absorbe et le respire
Lui rapportent le monde en leurs navires.
Les Orients et les Midis tanguent vers elle
Et les Nords blancs et la folie universelle
Et tous nombres dont le désir prévoit la somme.
Et tout ce qui s'invente et tout ce que les hommes
Tirent de leurs cerveaux puissants et volcaniques
Tend vers elle, cingle vers elle et vers ses luttes :
Elle est le brasier d'or des humaines disputes,
Elle est le réservoir des richesses uniques
Et les marins naïfs peignent son caducée
Sur leur peau rousse et crevassée,
A l'heure où l'ombre emplit les soirs océaniques.

Toute la mer va vers la ville !

O les Babels enfin réalisées !
Et cent peuples fondus dans la cité commune ;
Et les langues se dissolvant en une ;
Et la ville comme une main, les doigts ouverts,
Se refermant sur l'univers !

Dites ! les docks bondés jusques au faîte
Et la montagne, et le désert, et les forêts,
Et leurs siècles captés comme en des rets ;
Dites ! leurs blocs d'éternité : marbres et bois,

Que l'on achète,
Et que l'on vend au poids ;
Et puis, dites ! les morts, les morts, les morts
Qu'il a fallu pour ces conquêtes.

Toute la mer va vers la ville !

La mer pesante, ardente et libre,
Qui tient la terre en équilibre ;
La mer que domine la loi des multitudes,
La mer où les courants tracent les certitudes ;
La mer et ses vagues coalisées,
Comme un désir multiple et fou,
Qui renversent des rocs depuis mille ans debout
Et retombent et s'effacent, égalisées ;
La mer dont chaque lame ébauche une tendresse
Ou voile une fureur ; la mer plane ou sauvage ;
La mer qui inquiète et angoisse et oppresse
De l'ivresse de son image.

Toute la mer va vers la ville !

Son port est parsemé et scintillant de feux
Et sillonné de rails fuyants et lumineux.

Son port est ceint de tours rouges dont les murs
                                                        [sonnent
D'un bruit souterrain d'eau qui s'enfle et ronfle en
                                                        [elles.

Son port est lourd d'odeurs de naphte et de carbone
Qui s'épandent, au long des quais, par les ruelles.

Son port est fabuleux de déesses sculptées
A l'avant des vaisseaux dont les mâts d'or s'exaltent.

Son port est solennel de tempêtes domptées
En des havres d'airain, de grès et de basalte.

LE SPECTACLE[1]

Au fond d'un hall sonore et radiant,
Sous les ailes énormes
Et les duvets des brumes uniformes,
Parfois, le soir, on déballe les Orients.

Les tréteaux clairs luisent comme des armes ;
De gros soleils en strass brillent, de loin en loin ;
Des cymbaliers hagards entrechoquent leurs poings
Et font sonner et tonner les vacarmes.
Le rideau s'ouvre : et bruit, clarté, rage, fracas,
Splendeur ! quand les valseurs et les valseuses roses
Apparaissent, mêlant et démêlant leurs poses,
En un taillis bougeant de gestes et de pas.

Des bataillons de danseuses en marche[2]
Grouillent, sur des rampes ou sous des arches ;
Jambes, hanches, gorges, maillots, jupes, dentelles
— Attelages de rut, ou par couples blafards
Des seins bridés mais bondissants s'attellent, —
Passent, crus de sueur ou blancs de fard.

Des mains vaines s'ouvrent et se referment vite,
Sans but, sinon pour ressaisir
L'invisible désir,
En fuite ;
Une clownesse, la jambe au clair,
Raidit l'obscénité dans l'air ;
Une autre encor, les yeux noyés et les flancs fous,
Se crispe, ainsi qu'une bête qu'on foule,
Et la rampe l'éclaire et bout par en dessous
Et toute la luxure de la foule
Se soulève soudain et l'acclame, debout.

O le blasphème en or criard, qui, là, se vocifère !
O la brûlure à cru sur la beauté de la matière !
O les atroces simulacres
De l'art blessé à mort que l'on massacre !
O le plaisir qui chante et qui trépigne
Dans la laideur tordue en tons et lignes ;
O le plaisir humain au rebours de la joie,
Alcool pour les regards, alcool pour les pensées,
O le pauvre plaisir qui exige des proies
Et mord des fleurs qui ont le goût de ses nausées !

Jadis, il marchait nu, héroïque et placide,
Les mains fraîches, le front lucide,
Le vent et le soleil dansaient dans ses cheveux ;
Toute la vie harmonique et divine
Se réchauffait dans sa poitrine ;
Il la respirait fruste et l'expirait plus belle ;
Il ignorait la loi qui l'eût dressé : rebelle ;
Et l'aube et les couchants et les sources naïves
Et le frôlement vert des branches attentives
Par à travers sa chair donnaient à son âme profonde
L'universel baiser qui fait s'aimer les mondes.

Mais aujourd'hui, sénile et débauché,
Il lèche et mord et mange son péché ;
Il cultive, dans un jardin d'anomalies,
Bibles, codes, textes, règles, qu'il multiplie
Pour les nier et les flétrir par des viols.
Et ses amours sont l'or. Et ses haines ? les vols
Vers la beauté toujours plus claire et plus certaine
Qui s'ouvre en fleurs d'astres au pré des nuits loin-
[taines.

Et le voici au fond de palais monstrueux
Dont les vitraux dardent aux cieux
L'inquiétude,
Et le voici, soudain, qui se transforme en multitude.

La scène brille, ainsi qu'un éventail,
Au fond, luisent des minarets d'émail
Et des maisons et des terrasses claires.
Sous les feux bleus des lampadaires,
En rythmes lents d'abord, mais violents soudain,
Se cueillant des baisers et se frôlant les seins,
Se rencontrent les bayadères ;
Des négrillons, coiffés de plumes,
— Les dents blanches, couleur d'écume,
En leurs bouches, vulves ouvertes, —
Bougent, tous les mêmes, d'après un branle inerte.
Un tambour bat, un son de cor s'entête,
Un fifre cru chatouille un refrain bête,
Et c'est enfin, pour la suprême apothéose,
Un assaut fou débordant sur les planches,
Un étagement d'or, de gorges et de hanches,
D'enlacements crispés et de terribles poses
Et des torses offerts et des robes fendues
Et des grappes de vice entre des fleurs pendues.

Et l'orchestre se meurt ou brusquement halète
Et monte et s'enfle et roule en aquilons ;
Des spasmes sourds sortent des violons ;
Des chiens lascifs semblent japper dans la tempête
Des bassons forts et des gros cuivres ;
Mille désirs naissent, gonflés, pesants, goulus.
On les dirait si lourds que tous, n'en pouvant plus,
Se prostituent en hâte et choient et se délivrent.

Et minuit sonne et la foule s'écoule
— Le hall fermé — parmi les trottoirs noirs ;
Et sous les lanternes qui pendent
Rouges, dans la brume, ainsi que des viandes,
Ce sont des filles qui attendent.

LES PROMENEUSES

Au long de promenoirs qui s'ouvrent sur la nuit
— Balcons de fleurs, rampes de flammes —
Des femmes en deuil de leur âme
Entrecroisent leurs pas sans bruit.

Le travail de la ville et s'épuise et s'endort :
Une atmosphère éclatante et chimique
Étend au loin ses effluves sur l'or
Myriadaire d'un grand décor panoramique.

Comme des clous, le gaz fixe ses diamants
Autour de coupoles illuminées ;
Des colonnes passionnées
Tordent de la douleur au firmament.
Sur les places, des buissons de flambeaux
Versent du soufre ou du mercure ;
Tel coin de monument qui se mire dans l'eau
Semble un torse qui bouge en une armure.

La ville est colossale et luit comme une mer
De phares merveilleux et d'ondes électriques,

Et ses mille chemins de bars et de boutiques
Aboutissent, soudain, aux promenoirs de fer,
Où ces femmes — opale et nacre,
Satin nocturne et cheveux roux —
Avec en main des fleurs de macre[1],
A longs pas clairs, foulent des tapis mous.

Ce sont de très lentes marcheuses solennelles
Qui se croisent, sous les minuits inquiétants,
Et se savent, — depuis quels temps ? —
Douloureuses et mutuelles.

En pleurs encor d'un trop grand deuil,
Tels yeux obstinés et hagards
Dans un nouveau destin ont rivé leurs regards,
Comme des clous dans un cercueil.

Telle bouche vers telle autre s'en est allée,
Comme deux fleurs se rencontrent sur l'eau.
Tel front semble un bandeau
Sur une pensée aveuglée.

Telle attitude est pareille toujours ;
Dans tel cerveau rien ne tressaille.
Quoique le cœur, où le vice travaille,
Batte âprement ses tocsins sourds.

J'en sais dont les robes funèbres
Voilent de pâles souliers d'or

Et dont un serpent d'argent mord
Les longues tresses de ténèbres.

Des houx rouges de leur tourment
D'autres ont fait leurs diadèmes ;
J'en vois : des veuves d'elles-mêmes
Qui se pleurent, comme un amant.

Quand leurs rêves, la nuit, s'esseulent
Et qu'elles tiennent dans la main
Le sort banal d'un être humain,
Elles savent ce qu'elles veulent.

Si leur peine devait finir un jour,
Elles en seraient plus tristes peut-être,
Qu'elles ne sont inconsolables d'être
Celles du taciturne amour.

Au long de promenoirs qui dominent la nuit,
De lentes femmes,
En deuil immense de leur âme,
Entrecroisent leurs pas sans bruit.

UNE STATUE[1]

Un bloc de marbre où son nom luit sur une plaque.

Ventre riche, mâchoire ardente et menton lourd ;
Haine et terreur murant son gros front lourd
Et poing taillé pour fendre en deux toutes attaques.

Le carrefour, solennisé de palais froids,
D'où ses regards têtus et violents encore
Scrutent quels feux d'éveil bougent dans telle aurore,
Comme sa volonté, se carre en angles droits.

Il fut celui de l'heure et des hasards bizarres,
Mais textuel, sitôt qu'il tint la force en main
Et qu'il put étouffer dans hier le lendemain
Déjà sonore et plein de terribles fanfares.

Sa colère fit loi durant ces jours vantés,
Où toutes voix montaient vers ses panégyriques,

Où son rêve d'État strict et géométrique
Tranquillisait l'aboi plaintif des lâchetés.

Il se sentait la force étroite et qui déprime,
Tantôt sournois, tantôt cruel et contempteur,
Et quand il se dressait de toute sa hauteur
Il n'arrivait jamais qu'à la hauteur d'un crime.

Planté devant la vie, il l'obstrua, depuis
Qu'il s'imposa sauveur des rois et de lui-même
Et qu'il utilisa la peur et l'affre blême
En des complots fictifs qu'il étranglait, la nuit.

Si bien qu'il apparaît sur la place publique
Féroce et rancunier, autoritaire et fort,
Et défendant encor, d'un geste hyperbolique,
Son piédestal massif comme son coffre-fort.

LES USINES

Se regardant avec les yeux cassés de leurs fenêtres
Et se mirant dans l'eau de poix et de salpêtre
D'un canal droit, marquant sa barre à l'infini,
Face à face, le long des quais d'ombre et de nuit,
Par à travers les faubourgs lourds
Et la misère en pleurs de ces faubourgs,
Ronflent terriblement usines et fabriques.

Rectangles de granit et monuments de briques,
Et longs murs noirs durant des lieues,
Immensément, par les banlieues ;
Et sur les toits, dans le brouillard, aiguillonnées
De fers et de paratonnerres,
Les cheminées.

Se regardant de leurs yeux noirs et symétriques,
Par la banlieue, à l'infini,
Ronflent le jour, la nuit,
Les usines et les fabriques.

Oh les quartiers rouillés de pluie et leurs grand'rues !
Et les femmes et leurs guenilles apparues
Et les squares, où s'ouvre, en des caries
De plâtras blanc et de scories,
Une flore pâle et pourrie.

Aux carrefours, porte ouverte, les bars :
Étains, cuivres, miroirs hagards,
Dressoirs d'ébène et flacons fols
D'où luit l'alcool
Et sa lueur vers les trottoirs.
Et des pintes qui tout à coup rayonnent,
Sur le comptoir, en pyramides de couronnes ;
Et des gens soûls, debout,
Dont les larges langues lapent, sans phrases,
Les ales d'or et le whisky, couleur topaze.

Par à travers les faubourgs lourds
Et la misère en pleurs de ces faubourgs,
Et les troubles et mornes voisinages,
Et les haines s'entrecroisant de gens à gens
Et de ménages à ménages,
Et le vol même entre indigents,
Grondent, au fond des cours, toujours,
Les haletants battements sourds
Des usines et des fabriques symétriques.

Ici, sous de grands toits où scintille le verre,
La vapeur se condense en force prisonnière :
Des mâchoires d'acier mordent et fument ;
De grands marteaux monumentaux
Broient des blocs d'or sur des enclumes,
Et, dans un coin, s'illuminent les fontes
En brasiers tors et effrénés qu'on dompte.

Là-bas, les doigts méticuleux des métiers prestes,
A bruits menus, à petits gestes,
Tissent des draps, avec des fils qui vibrent
Légers et fins comme des fibres.
Des bandes de cuir transversales
Courent de l'un à l'autre bout des salles
Et les volants larges et violents
Tournent, pareils aux ailes dans le vent
Des moulins fous, sous les rafales.
Un jour de cour avare et ras
Frôle, par à travers les carreaux gras
Et humides d'un soupirail,
Chaque travail.
Automatiques et minutieux,
Des ouvriers silencieux
Règlent le mouvement
D'universel tictaquement
Qui fermente de fièvre et de folie
Et déchiquette, avec ses dents d'entêtement,
La parole humaine abolie.

Plus loin, un vacarme tonnant de chocs
Monte de l'ombre et s'érige par blocs ;
Et, tout à coup, cassant l'élan des violences,
Des murs de bruit semblent tomber
Et se taire, dans une mare de silence,
Tandis que les appels exacerbés
Des sifflets crus et des signaux
Hurlent soudain vers les fanaux,
Dressant leurs feux sauvages,
En buissons d'or, vers les nuages.

Et tout autour, ainsi qu'une ceinture,
Là-bas, de nocturnes architectures,

Voici les docks, les ports, les ponts, les phares
Et les gares folles de tintamarres ;
Et plus lointains encor des toits d'autres usines
Et des cuves et des forges et des cuisines
Formidables de naphte et de résines
Dont les meutes de feu et de lueurs grandies
Mordent parfois le ciel, à coups d'abois et
                                [d'incendies.

Au long du vieux canal à l'infini,
Par à travers l'immensité de la misère
Des chemins noirs et des routes de pierre,
Les nuits, les jours, toujours,
Ronflent les continus battements sourds,
Dans les faubourgs,
Des fabriques et des usines symétriques.

L'aube s'essuie
A leurs carrés de suie ;
Midi et son soleil hagard
Comme un aveugle, errent par leurs brouillards ;
Seul, quand au bout de la semaine, au soir,
La nuit se laisse en ses ténèbres choir,
L'âpre effort s'interrompt, mais demeure en arrêt,
Comme un marteau sur une enclume,
Et l'ombre, au loin, parmi les carrefours, paraît
De la brume d'or qui s'allume.

LA BOURSE

Comme un torse de pierre et de métal debout
Le monument de l'or dans les ténèbres bout.

Dès que morte est la nuit et que revit le jour,
L'immense et rouge carrefour
D'où s'exalte sa quotidienne bataille
Tressaille.

Des banques s'ouvrent tôt et leurs guichets,
Où l'or se pèse au trébuchet,
Voient affluer — voiles légères — par flottes,
Les traites et les banque-notes.
Une fureur monte et s'en dégage,
Gagne la rue et s'y propage,
Venant chauffer, de seuil en seuil,
Dans la ville, la peur, la folie ou l'orgueil.

Le monument de l'or attend que midi tinte
Pour réveiller l'ardeur dont sa vie est étreinte.

Tant de rêves, tels des feux roux
Entremêlent leur flamme et leurs remous
De haut en bas du palais fou !
Le gain coupable et monstrueux
S'y resserre comme des nœuds.
On croit y voir une âpre fièvre
Voler, de front en front, de lèvre en lèvre,
Et s'ameuter et éclater
Et crépiter sur les paliers
Et les marches des escaliers.
Une fureur réenflammée
Au mirage du moindre espoir
Monte soudain de l'entonnoir
De bruit et de fumée,
Où l'on se bat, à coups de vols, en bas.
Langues sèches, regards aigus, gestes inverses,
Et cervelles, qu'en tourbillons les millions traversent,
Échangent là leur peur et leur terreur.
La hâte y simule l'audace
Et les audaces se dépassent ;
Les uns confient à des carnets
Leurs angoisses et leurs secrets ;
Cyniquement, tel escompte l'éclair
Qui tue un peuple au bout du monde ;
Les chimères volent dans l'air ;
Les chances fuient ou surabondent ;
Marchés conclus, marchés rompus
Luttent et s'entrebutent en disputes ;
L'air brûle — et les chiffres paradoxaux,
En paquets pleins, en lourds trousseaux,
Sont rejetés et cahotés et ballottés
Et s'effarent en ces bagarres,
Jusqu'à ce que leurs sommes lasses,
Masses contre masses,
Se cassent.

Aux fins de mois, quand les débâcles se décident,
La mort les paraphe de suicides
Et les chutes s'effritent en ruines
Qui s'illuminent
En obsèques exaltatives.
Mais le jour même, aux heures blêmes,
Les volontés, dans la fièvre, revivent ;
L'acharnement sournois
Reprend, comme autrefois.
On se trahit, on se sourit et l'on se mord
Et l'on travaille à d'autres morts.
La haine ronfle, ainsi qu'une machine,
Autour de ceux qu'elle assassine.
On vole, avec autorité, les gens
Dont les coffres sont indigents.
On mêle avec l'honneur l'escroquerie,
Pour amorcer jusqu'aux patries
Et ameuter vers l'or torride et infamant
L'universel affolement.

Oh l'or, là-bas, comme des tours dans les nuages,
L'or étalé sur l'étagère des mirages,
Avec des millions de bras tendus vers lui,
Et des gestes et des appels, la nuit,
Et la prière unanime qui gronde,
De l'un à l'autre bout des horizons du monde !

Là-bas, des cubes d'or sur des triangles d'or,
Et tout autour les fortunes célèbres
S'échafaudant sur des algèbres.

De l'or ! — boire et manger de l'or !
Et, plus féroce encor que la rage de l'or,

La foi au jeu mystérieux
Et ses hasards hagards et ténébreux
Et ses arbitraires vouloirs certains
Qui restaurent le vieux destin ;
Le jeu, axe terrible, où tournera autour de l'aventure,
Par seul plaisir d'anomalie,
Par seul besoin de rut et de folie,
Là-bas, où se croisent les lois d'effroi
Et les suprêmes désarrois,
Éperdument, la passion future.

Comme un torse de pierre et de métal debout,
Qui cèle en son mystère et son ardeur profonde
Le cœur battant et haletant du monde,
Le monument de l'or dans les ténèbres bout.

LE BAZAR

C'est un bazar, au bout des faubourgs rouges :
Étalages toujours montants, toujours accrus,
Tumulte et cris jetés, gestes vifs et bourrus
Et lettres d'or, qui soudain bougent,
En torsades, sur la façade.

C'est un bazar, avec des murs géants
Et des balcons et des sous-sols béants
Et des tympans montés sur des corniches
Et des drapeaux et des affiches
Où deux clowns noirs plument un ange.

On y étale à certains jours,
En de vaines et frivoles boutiques,
Ce que l'humanité des temps antiques
Croyait divinement être l'amour ;
Aussi les Dieux et leur beauté
Et l'effrayant aspect de leur éternité
Et leurs yeux d'or et leurs mythes et leurs emblèmes
Et les livres qui les blasphèment.

Toutes ardeurs, tous souvenirs, toutes prières
Sont là, sur des étaux et s'empoussièrent ;
Des mots qui renfermaient l'âme du monde
Et que les prêtres seuls disaient au nom de tous
Sont charriés et ballottés, dans la faconde
Des camelots et des voyous.
L'immensité se serre en des armoires
Dérisoires et rayonne de plaies ;
Et le sens même de la gloire
Se définit par des monnaies.

Lettres jusques au ciel, lettres en or qui bouge,
C'est un bazar au bout des faubourgs rouges !
La foule et ses flots noirs
S'y bousculent près des comptoirs ;
La foule — oh ses désirs multipliés,
Par centaines et par milliers ! —
Y tourne, y monte, au long des escaliers,
Et s'érige folle et sauvage,
En spirale, vers les étages.

Là-haut, c'est la pensée
Immortelle, mais convulsée,
Avec ses triomphes et ses surprises,
Qu'à la hâte on expertise.
Tous ceux dont le cerveau
S'enflamme aux feux des problèmes nouveaux,
Tous les chercheurs qui se fixent pour cible
Le front d'airain de l'impossible
Et le cassent, pour que les découvertes
S'en échappent, ailes ouvertes,
Sont là gauches, fiévreux, distraits,
Dupes des gens qui les renient
Mais utilisent leur génie,
Et font argent de leurs secrets.

Oh ! les Édens, là-bas, au bout du monde,
Avec des glaciers purs à leurs sommets sacrés,
Que ces voyants des lois profondes
Ont explorés,
Sans se douter qu'ils sont les Dieux.
Oh ! leur ardeur à recréer la vie,
Selon la foi qu'ils ont en eux
Et la douceur et la bonté de leurs grands yeux,
Quand, revenus de l'inconnu
Vers les hommes, d'où ils s'érigent,
On leur vole ce qui leur reste aux mains
De vérité conquise et de destin.

C'est un bazar tout en vertiges
Que bat, continûment, la foule, avec ses houles
Et ses vagues d'argent et d'or ;
C'est un bazar tout en décors,
Avec des tours, avec des rampes de lumières ;
C'est un bazar bâti si haut que, dans la nuit,
Il apparaît la bête et de flamme et de bruit
Qui monte épouvanter le silence stellaire.

L'ÉTAL

Au soir tombant, lorsque déjà l'essor
De la vie agitée et rapace s'affaisse,
Sous un ciel bas et mou et gonflé d'ombre épaisse,
Le quartier fauve et noir dresse son vieux décor
De chair, de sang, de vice et d'or.

Des commères, blocs de viande tassée et lasse,
Interpellent, du seuil de portes basses,
Les gens qui passent ;
Derrière elles, au fond de couloirs rouges
Des feux luisent, un rideau bouge
Et se soulève et permet d'entrevoir
De beaux corps nus en des miroirs.

Le port est proche. A gauche, au bout des rues,
L'emmêlement des mâts et des vergues obstrue
Un pan de ciel énorme ;
A droite, un tas grouillant de ruelles difformes
Choit de la ville — et les foules obscures
S'y dépêchent vers leurs destins de pourriture.

C'est l'étal flasque et monstrueux de la luxure
Dressé, depuis toujours, sur les frontières
De la cité et de la mer.

Là-bas, parmi les flots et les hasards,
Ceux qui veillent, mélancoliques, aux bancs de quart
Et les mousses dont les hardes sont suspendues
A des mâts abaissés ou des cordes tendues,
Tous en rêvent et l'évoquent, tels soirs ;
Le cru désir les tord en effrénés vouloirs ;
Les baisers mous du vent sur leur torse circulent ;
La vague éveille en eux des images qui brûlent ;
Et leurs deux mains et leurs deux bras se désespèrent
Ou s'exaltent, tendus du côté de la terre.

Et ceux d'ici, ceux des bureaux et des bazars,
Chiffreurs têtus, marchands précis, scribes hagards,
Fronts assouplis, cerveaux loués et mains vendues,
Quand les clefs de la caisse au mur sont appendues,
Sentent le même rut mordre leur corps, tels soirs ;
On les entend descendre en troupeaux noirs,
Comme des chiens chassés, du fond du crépuscule,
Et la débauche en eux si fortement bouscule
Leur avarice et leur prudence routinière
Qu'elle les use et les ruine, avec colère.

C'est l'étal flasque et monstrueux de la luxure
Dressé, depuis toujours, sur les frontières
De la cité et de la mer.

Venus de quels lointains heureux ou fatidiques ?
Venus de quels comptoirs fiévreux ou méthodiques ?
Avec, en leurs yeux durs, la haine âpre et sournoise,
Avec, en leur instinct, la bataille et l'angoisse,
Autour de femelles rouges qui les affolent,
Ils s'assemblent et s'ameutent en ardentes paroles.

Des mascarons fougueux et des ornements crus
Luisent au long des murs et dans l'ombre se dar-
Des satyres sautants et des Bacchus ventrus   [dent ;
Rient d'un rire immobile en des glaces blafardes ;
Des fleurs meurent. Sur des tables de jeu,
Les bols chauffent, tordant leur flamme en drapeaux
                                              [bleus ;
Un pot de fard s'encrasse, au coin d'une étagère ;
Une chatte bondit vers des mouches, légère ;
Un ivrogne sommeille étendu sur un banc,
Et des femmes viennent à lui et se penchant
Frôlent ses yeux fermés, avec leurs seins énormes.

Leurs compagnes, reins fatigués, croupes qui dor-
Sur des fauteuils et des divans sont empilées, [ment,
La chair morne déjà d'avoir été foulée
Par les premiers passants de la vigne banale.
L'une d'elles coule en son bas un morceau d'or,
Une autre bâille et s'étire, d'autres encor
— Flambeaux défunts, thyrses usés des baccha-
Sentant l'âge et la fin les flairer du museau, [nales —
Les yeux fixes, se caressent la peau,
D'une main lente et machinale.

C'est l'étal flasque et monstrueux de la luxure
Dressé, depuis toujours, sur les frontières
De la cité et de la mer.

D'après l'argent qui tinte dans les poches,
La promesse s'échange ou le reproche ;
Un cynisme tranquille, une ardeur lasse
Préside à la tendresse ou bien à la menace.
L'étreinte et les baisers ennuient. Souvent,
Lorsque les poings s'entrecognent, au vent
Des insultes et des jurons, toujours les mêmes,
Quelque gaîté s'essore[1] et jaillit des blasphèmes,
Mais aussitôt retombe — et parfois l'on entend,
Dans le silence inquiétant,
Un clocher proche et haletant
Sonner l'heure lourde et funèbre,
Sur la ville, dans les ténèbres.

Pourtant, au long des jours, quand les fêtes émar-
Soit en hiver, Noël, soit en été, Saint-Pierre[2],   [gent,
Le vieux quartier de crasse et de lumière
Monte vers le péché, avec un élan large.

Il fermente de chants hurlés et de tapages :
Fenêtre par fenêtre, étage par étage,
Ses façades dardent, de haut en bas,
Le vice — et jusqu'au fond des galetas,
Brame l'ardeur et s'accouplent les rages.
Dans la grand'salle, où les marins affluent,
Poussant au-devant d'eux quelque bouffon des rues
Qui se convulse en mimiques obscènes,
Les vins d'écume et d'or bondissent de leur gaine ;

Les hommes saouls braillent comme des fous,
Les femmes se livrent — et, tout à coup,
Les ruts flambent, les bras se nouent, les corps se
[tordent,
On ne voit plus que des instincts qui s'entremordent,
Des seins offerts, des ventres pris et l'incendie
Des yeux hagards en des buissons de chair brandie.

C'est l'étal flasque et monstrueux de la luxure,
Où le crime plante ses couteaux clairs,
Où la folie, à coups d'éclairs,
Fêle les fronts de meurtrissures,
C'est l'étal flasque et monstrueux,
Dressé, depuis toujours, sur les frontières
Tributaires de la cité et de la mer.

LA RÉVOLTE

La rue, en un remous de pas,
De torses et de dos d'où sont tendus des bras
Sauvagement ramifiés vers la folie,
Semble passer volante ;
Et ses fureurs, au même instant, s'allient
A des haines, à des appels, à des espoirs ;
La rue en or,
La rue en rouge, au fond des soirs.

Toute la mort
En des beffrois tonnants se lève ;
Toute la mort, surgie en rêves,
Avec des faulx et des épées
Et des têtes atrocement coupées.

La toux des canons lourds,
Les lourds hoquets des canons sourds
Mesurent seuls les pleurs et les abois de l'heure.
Les hauts cadrans des horloges publiques,
Comme des yeux en des paupières,
Sont défoncés à coups de pierre :
Le temps normal n'existant plus

Pour les cœurs fous et résolus
Des multitudes faméliques.

La rage, elle a bondi de terre
Sur un monceau de pavés gris ;
La rage immense, avec des cris,
Avec du feu dans ses artères ;
La rage, elle a bondi
Féroce et haletante
Et si terriblement
Que son moment d'élan vaut à lui seul le temps
Que met un siècle en gravitant
Autour de ses cent ans d'attente.

Tout ce qui fut rêvé jadis ;
Ce que les fronts les plus hardis
Vers l'avenir ont instauré ;
Ce que les âmes ont brandi,
Ce que les yeux ont imploré,
Ce que toute la sève humaine
Silencieuse a renfermé,
S'épanouit, aux mille bras armés
De ces foules, brassant leur houle avec leurs haines.

C'est la fête du sang qui se déploie,
A travers la terreur, en étendards de joie :
Des gens passent rouges et ivres ;
Des gens passent sur des gens morts ;
Les soldats clairs, casqués de cuivre,
Ne sachant plus où sont les droits, où sont les torts,
Las d'obéir, chargent, mollassement,
Le peuple énorme et véhément
Qui veut enfin que sur sa tête
Luisent les ors sanglants et violents de la conquête.

Voici des docks et des maisons qui brûlent,
En façades de sang, sur le fond noir du crépuscule ;
L'eau des canaux en réfléchit les fumantes splen-
De haut en bas, jusqu'en ses profondeurs ;   [deurs,
D'énormes tours obliquement dorées
Barrent la ville au loin d'ombres démesurées ;
Les bras des feux, ouvrant leurs mains funèbres,
Éparpillent des lambeaux d'or par les ténèbres ;
Et les brasiers des toits sautent en bonds sauvages,
Hors d'eux-mêmes, jusqu'aux nuages.

Aux vieux palais publics, d'où les échevins d'or
Jadis domptaient la ville et refoulaient l'effort
Et la marée en rut des multitudes fortes,
On pénètre, cognant et martelant les portes ;
Les clefs sautent, les gonds cèdent et les verrous ;
Des armoires de fer ouvrent de larges trous
Où s'empilent par tas les lois et les harangues ;
Une torche soudain les lèche avec sa langue,
Et tout leur passé noir s'envole et s'éparpille,
Tandis que dans la cave et les greniers on pille
Et qu'on jette dans les fossés du vieux rempart
Des morts coupant le vide avec leurs bras épars.

Dans les couvents, les chapelles et les églises,
Les verrières, où les martyres sont assises,
Jonchent le sol et s'émiettent comme du chaume ;
Un Christ, exsangue et long comme un fantôme,
Est lacéré et pend, tel un haillon de bois,
Au dernier clou qui perce encor l'or de sa croix ;
Le tabernacle, ardent et pur, où sont les chrêmes,
Est attaqué, à coups de poings et de blasphèmes ;
On soufflette les Saints près des autels debout
Et dans la grande nef, de l'un à l'autre bout,

— Telle une neige — on dissémine les hosties
Pour qu'elles soient, sous les talons, anéanties.

Tous les joyaux du meurtre et des désastres
Étincellent ainsi, sous l'œil des astres ;
La ville entière éclate
En pays d'or coiffé de flammes écarlates ;
La ville, au vent des soirs, vers les lointains houleux
Tend sa propre couronne énormément en feu ;
Toute la rage et toute la folie
Brassent la vie avec leur lie,
Si fort que, par instants, le sol semble trembler,
Et l'espace brûler
Et la fumée et ses fureurs s'écheveler et s'envoler
Et balayer les grands cieux froids.

— Tuer, pour rajeunir et pour créer ;
Ou pour tomber et pour mourir, qu'importe !
Passer ; ou se casser les poings contre la porte !
Et puis — que son printemps soit vert ou qu'il soit
N'est-elle point, dans le monde, toujours,   [rouge —
Haletante, par à travers les jours,
La puissance profonde et fatale qui bouge !

LE MASQUE[1]

La couronne formidable des rois
En s'appuyant de tout son poids
Sur ce masque de cire
Semblait broyer et mutiler
L'empire.

Le pâle émail des yeux usés
S'était fendu en agonies
Minuscules, mais infinies,
Sous les sourcils décomposés.

Le front avait été l'éclair,
Avant que les pâles années
N'eussent rivé les destinées,
Sur ce bloc mort de morne chair.

Les crins encore étaient ardents,
Mais la colossale mâchoire,
Mi-ouverte, laissait la gloire
Tomber morte d'entre les dents.

Depuis des temps qu'on ne sait pas,
La couronne, violemment cruelle,
De sa poussée indiscontinuelle
Ployait le chef toujours plus las.

Les astuces, les perfidies
Louchaient en ses joyaux taillés,
Et les meurtres, les sangs, les incendies
Semblaient reluire entre ses ors caillés.

Elle écrasait et abattait
Ce qui jadis était la gloire :
Ce front géant qui la portait
Et la dardait vers les victoires
Si bien qu'ainsi s'accomplissait, sans bruit,
L'œuvre d'une force qui se détruit,
Obstinément, soi-même,
Et finit par se définir
Pour l'avenir
Dans un emblème.

Couronne et tête étaient placées,
Couronne ardente et tête autoritaire,
En un logis de verre,
Au fond d'un hall, dans un musée[2].

UNE STATUE[1]

Prenant pour guide clair l'astre qu'était son âme,
A travers des pays d'ouragans et de flammes,
Il s'en était allé si loin vers l'inconnu
Que son siècle vieux et chenu,
Toussant la peur, au vent trop fort de sa pensée,
L'avait férocement enseveli sous la risée.

Il en était ainsi, depuis des tas d'années
Au long des temps échelonnées,
Quand un matin la ville, où son nom était mort,
Se ressouvint de lui — homme âpre et grandiose —
Et l'exalta et le grandit en une pose
De penseur accoudé sur un roc d'ombre et d'or.

On inscrivit sur ce granit de gloire
L'exil subi, la faim et la prison,
Et l'on tressa, comme une floraison,
Son crime ancien, autour de sa mémoire.

On lui prit sa pensée et l'on en fit des lois ;
On lui prit sa folie et l'on en fit de l'ordre ;
Et ses railleurs d'antan ne savaient plus où mordre
Le battant de tocsin qui sautait dans sa voix.

Et seul, son geste fier domina la cité
Où l'on voyait briller, agrandi de mystère,
Son front large, puissant, tranquille et comme austère
D'être à la fois d'un temps et de l'éternité.

LA MORT

Avec ses larges corbillards
Ornés de plumes majuscules,
Par les matins, dans les brouillards,
La mort circule.

Parée et noire et opulente,
Tambours voilés, musiques lentes,
Avec ses larges corbillards,
Flanqués de quatre lampadaires,
La Mort s'étale et s'exagère.

Pareils aux nocturnes trésors,
Les gros cercueils écussonnés
— Larmes d'argent et blasons d'or —
Écoutent l'heure éclatante des glas
Que les cloches jettent, là-bas :
L'heure qui tombe, avec des bonds
Et des sanglots, sur les maisons,
L'heure qui meurt sur les demeures,
Avec des bonds et des sanglots de plomb.

Parée et noire et opulente,
Au cri des orgues violentes
Qui la célèbrent,
La mort tout en ténèbres
Règne, comme une idole assise,
Sous la coupole des églises.

Des feux, tordus comme des hydres,
Se hérissent, autour du catafalque immense,
Où des anges, tenant des faulx et des clepsydres,
Dressent leur véhémence,
Clairons dardés, vers le néant.

Le vide en est grandi sous le transept béant ;
De hautes voix d'enfants
Jettent vers les miséricordes
Des cris tordus comme des cordes,
Tandis que les vieilles murailles
Montent, comme des linceuls blancs,
Autour du bloc formidable et branlant
De ces massives funérailles.

Drapée en noir et familière,
La Mort s'en va le long des rues
Longues et linéaires.

Drapée en noir, comme le soir,
La vieille Mort agressive et bourrue
S'en va par les quartiers
Des boutiques et des métiers,
En carrosse qui se rehausse

De gros lambris exorbitants,
Couleur d'usure et d'ancien temps.

Drapée en noir, la Mort
Cassant, entre ses mains, le sort
Des gens méticuleux et réfléchis
Qui s'exténuent, en leurs logis,
Vainement, à faire fortune,
La Mort soudaine et importune
Les met en ordre dans leurs bières
Comme en des cases régulières[1].

Et les cloches sonnent péniblement
Un malheureux enterrement,
Sur le défunt, que l'on trimballe,
Par les églises colossales,
Vers un coin d'ombre, où quelques cierges,
Pauvres flammes, brûlent, devant la Vierge.

Vêtue en noir et besogneuse,
La Mort gagne jusqu'aux faubourgs,
En chariot branlant et lourd,
Avec de vieilles haridelles
Qu'elle flagelle
Chaque matin, vers quels destins ?
Vêtue en noir,
La Mort enjambe le trottoir
Et l'égout pâle, où se mirent les bornes,
Qui vont là-bas, une à une, vers les champs mornes ;
Et leste et rude et dédaigneuse
Gagne les escaliers et s'arrête sur les paliers
Où l'on entend pleurer et sangloter,
Derrière la porte entr'ouverte,

Des gens laissant l'espoir tomber,
Inerte.

Et dans la pluie indéfinie,
Une petite église de banlieue,
Très maigrement, tinte un adieu,
Sur la bière de sapin blanc
Qui se rapproche, avec des gens dolents,
Par les routes, silencieusement.

Telle la Mort journalière et logique
Qui fait son œuvre et la marque de croix
Et d'adieux mornes et de voix
Criant vers l'inconnu les espoirs liturgiques.

Mais d'autres fois, c'est la Mort grande et sa légende,
Avec son aile au loin ramante,
Vers les villes de l'épouvante.

Un ciel étrange et roux brûle la terre moite ;
Des tours noires s'étirent droites
Telles des bras, dans la terreur des crépuscules ;
Les nuits tombent comme épaissies,
Les nuits lourdes, les nuits moisies,
Où, dans l'air gras et la chaleur rancie,
Tombereaux pleins, la Mort circule.

Ample et géante comme l'ombre,
Du haut en bas des maisons sombres,
On l'écoute glisser, rapide et haletante.

La peur du jour qui vient, la peur de toute attente,
La peur de tout instant qui se décoche,
Persécute les cœurs, partout,
Et redresse, soudain, en leur sueur, debout,
Ceux qui, vers le minuit, songent au matin proche.

Les hôpitaux gonflés de maladies,
Avec les yeux fiévreux de leurs fenêtres rouges,
Regardent le ciel trouble, où rien ne bouge
Ni ne répond aux détresses grandies.

Les égouts roulent le poison
Et les acides et les chlores,
Couleur de nacre et de phosphore,
Vainement tuent sa floraison.

De gros bourdons résonnent
Pour tout le monde, pour personne ;
Les églises barricadent leur seuil,
Devant la masse des cercueils.

Et l'on entend, en galops éperdus,
La mort passer et les bières que l'on transporte
Aux nécropoles, dont les portes,
Ni nuit ni jour, ne ferment plus.

Tragique et noire et légendaire,
Les pieds gluants, les gestes fous,
La Mort balaie en un grand trou
La ville entière au cimetière.

LA RECHERCHE

Chambres et pavillons, tours et laboratoires,
Avec, sur leurs frises, les sphinx évocatoires
Et vers le ciel, braqués, les télescopes d'or.

C'est la maison de la science au loin dardée,
Par à travers les faits jusqu'aux claires idées.

Flacons jaunes, bleus, verts, pareils à des trésors ;
Cristaux monumentaux et minéraux jaspés ;
Prismes dans le soleil et ses rayons trempés ;
Creusets ardents, godets rouges, flammes fertiles,
Où se transmuent les poussières subtiles ;
Instruments nets et délicats,
Ainsi que des insectes,
Ressorts tendus et balances correctes,
Cônes, segments, angles, carrés, compas,
Sont là, vivant et respirant dans l'atmosphère
De lutte et de conquête autour de la matière.

Dites ! quels temps versés au gouffre des années,

Et quelle angoisse ou quel espoir des destinées,
Et quels cerveaux chargés de noble lassitude
A-t-il fallu pour faire un peu de certitude ?

Dites ! l'erreur plombant les fronts ; les bagnes
De la croyance où le savoir marchait au pas ;
Dites ! les premiers cris, là-haut, sur la montagne,
Tués par les bruits sourds de la foule d'en bas.

Dites ! les feux et les bûchers ; dites ! les claies[1] ;
Les regards fous en des visages d'effroi blanc ;
Dites ! les corps martyrisés, dites ! les plaies
Criant la vérité, avec leur bouche en sang.

C'est la maison de la science au loin dardée,
Par à travers les faits jusqu'aux vastes idées.

Avec des yeux
Méticuleux ou monstrueux,
On y surprend les croissances ou les désastres
S'échelonner, depuis l'atome jusqu'à l'astre.
La vie y est fouillée, immense et solidaire,
En sa surface ou ses replis miraculeux,
Comme la mer et ses vallons houleux,
Par le soleil et ses mains d'or myriadaires.

Chacun travaille, avec avidité,
Méthodiquement lent, dans un effort d'ensemble ;
Chacun dénoue un nœud, en la complexité
Des problèmes qu'on y rassemble ;

Et tous scrutent et regardent et prouvent,
Tous ont raison — mais c'est un seul qui trouve !

Ah celui-là, dites ! de quels lointains de fête,
Il vient, plein de clarté et plein de jour ;
Dites ! avec quelle flamme au cœur et quel amour
Et quel espoir illuminant sa tête ;
Dites ! comme à l'avance et que de fois
Il a senti vibrer et fermenter son être
Du même rythme que la loi
Qu'il définit et fait connaître.

Comme il est simple et clair devant les choses,
Et humble et attentif, lorsque la nuit
Glisse le mot énigmatique en lui
Et descelle ses lèvres closes ;
Et comme en s'écoutant, brusquement, il atteint,
Dans la forêt toujours plus fourmillante et verte,
La blanche et nue et vierge découverte
Et la promulgue au monde ainsi que le destin.

Et quand d'autres, autant et plus que lui,
Auront à leur lumière incendié la terre
Et fait crier l'airain des portes du mystère,
— Après combien de jours, combien de nuits,
Combien de cris poussés vers le néant de tout,
Combien de vœux défunts, de volontés à bout
Et d'océans mauvais qui rejettent les sondes —
Viendra l'instant, où tant d'efforts savants et ingénus,
Tant de cerveaux tendus vers l'inconnu,
Quand même, auront bâti sur des bases profondes
Et s'élançant au ciel, la synthèse des mondes !

C'est la maison de la science au loin dardée
Par à travers les faits, jusqu'aux fixes idées.

LES IDÉES

Sur la Ville, dont les désirs flamboient,
Règnent, sans qu'on les voie,
Mais évidentes, les idées.

On les rêve parmi les brumes, accoudées
En des lointains, là-haut, près des soleils.

Aubes rouges, midis fumeux, couchants vermeils,
Dans le tumulte violent des heures,
Elles demeurent.

Et la première et la plus vaste, c'est la force
Multipliée en bras et déployée en torses
Aux jours de violence et de férocité ;
Mais d'autres fois, ferme et sereine,
Quand une âme lucide et patiente entraîne
Les foules souveraines
Sous le joug d'or où les ploiera sa volonté.

Depuis que se mangent ou se fécondent,
A chaque instant qui naît, qui meurt, les mondes,
La force est dans l'atome et l'atome vibre d'elle ;
Elle est l'ardeur de la conquête universelle ;
Indifférente au bien, au mal, mais haletante
Dans chaque assaut, dans chaque élan, dans chaque
Elle dresse la gloire et ses palmes, dans l'air ; [attente,
Elle est volante et dirige l'éclair
Vers la mêlée inextricable où le sort bouge
Et la victoire est suspendue à son poing rouge.
Et voici la justice et la pitié, jumelles ;
Mères au double cœur dont les claires mamelles
Versent le jour clément et se penchent vers tous.
Ceux d'aujourd'hui les déclarent deux ennemies
Luttant avec des cris et des antinomies,
Au nom de Christ, le maître abominable ou doux,
Selon celui qui interprète ses paroles.
La loi qui est déesse, on la proclame idole ;
Et les codes sont des meutes qu'on dresse à mordre
Et la peur règne — mais l'ordre,
Qui doit s'ouvrir comme une grande fleur
Libre et sûre, malgré ses milliers de pétales,
Puisera sa vertu et son ardeur
Immensément, dans l'équité totale.

Oh ! l'avenir montré tel qu'un pays de flamme,
Comme il est beau devant les âmes
Qui, malgré l'heure, ont confiance en leur vouloir.
Tant de siècles ne détiennent l'espoir,
Depuis mille et mille ans, indestructible,
Sans que tous les désirs ligués, frappant la cible,
Ne tuent un jour la haine et n'instaurent l'amour.
La conscience humaine est sculptée en contours
Puissants et délicats que, sans cesse, on affine
Pour transmuer sa vie en facultés divines
Et créer le bonheur que promettait un Dieu.
Le futur éclatant est un oiseau de feu,

Dont les plumes, une par une,
Se détachant de l'aile et retombant vers nous,
Frôlent de joie et de splendeur nos regards fous.

Et plus haute que n'est la force et la justice,
Par au delà du vrai, du faux, de l'équité,
Plus loin que la vertu ou que le vice,
Luit la beauté.
Touffue et claire,
Méduse ténébreuse et Minerve solaire,
Fondant le double mythe en unique splendeur,
Elle exalte par sa grandeur.
Sublime, elle a pour prêtres les génies
Qui communient
De la lumière de ses yeux ;
Les temps sont datés d'elle et marchent glorieux
Dès que sa volonté leur est douce et amie ;
Son poing crispé saisit les mille antinomies
Et les assemble et les resserre et les unit,
Pour tordre et pour forger, d'un coup, tout l'infini.

La rose Égypte et la Grèce dorée
Jadis, aux temps des Dieux, l'ont instaurée
En des temples d'où s'envolait l'oracle ;
Et Paris et Florence ont rêvé le miracle
D'être, à leur tour, l'autel où ses pieds clairs,
Vibrants d'ailes, se poseraient sur l'univers.
Aujourd'hui même, elle apparaît dans les fumées
Les yeux offerts, les mains encor fermées,
Le corps revêtu d'or et de soleil ;
Un feu nouveau d'entre ses doigts vermeils
Glisse et provoque aux conquêtes certaines,
Mais la vénale ardeur des tapages modernes
Déchaîne un bruit si fort, sous les cieux ternes,
Que l'appel clair vers ses fervents s'entend à peine.

Et néanmoins elle est la totale harmonie
Qui se transforme et se restaure à l'infini,
En se servant des mille efforts que l'on croit vains.
Elle est la clef du cycle humain,
Elle suggère à tous l'existence parfaite,
La simple joie et l'effort éperdu,
Vers les temps clairs, illuminés de fêtes
Et sonores, là-bas, d'un large accord inentendu.
Quiconque espère en elle est au delà de l'heure
Qui frappe aux cadrans noirs de sa demeure ;
Et tandis que la foule abat, dans la douleur,
Ses pauvres bras tendus vers la splendeur,
Parfois, déjà, dans le miracle, où quelque âme s'isole,
La beauté passe — et dit les futures paroles.

Sur la Ville, d'où les désirs flamboient,
Règnent, sans qu'on les voie,
Mais évidentes, les idées.

VERS LE FUTUR[1]

O race humaine aux destins d'or vouée,
As-tu senti de quel travail formidable et battant,
Soudainement, depuis cent ans,
Ta force immense est secouée ?

L'acharnement à mieux chercher, à mieux savoir,
Fouille comme à nouveau l'ample forêt des êtres,
Et malgré la broussaille où tel pas s'enchevêtre
L'homme conquiert sa loi des droits et des devoirs.

Dans le ferment, dans l'atome, dans la poussière,
La vie énorme est recherchée et apparaît.
Tout est capté dans une infinité de rets
Que serre ou que distend l'immortelle matière.

Héros, savant, artiste, apôtre, aventurier,
Chacun troue à son tour le mur noir des mystères
Et grâce à ces labeurs groupés ou solitaires,
L'être nouveau se sent l'univers tout entier.

Et c'est vous, vous les villes,
Debout
De loin en loin, là-bas, de l'un à l'autre bout
Des plaines et des domaines,
Qui concentrez en vous assez d'humanité,
Assez de force rouge et de neuve clarté,
Pour enflammer de fièvre et de rage fécondes
Les cervelles patientes ou violentes
De ceux
Qui découvrent la règle et résument en eux
Le monde.

L'esprit de la campagne était l'esprit de Dieu ;
Il eut la peur de la recherche et des révoltes,
Il chut ; et le voici qui meurt, sous les essieux
Et sous les chars en feu des nouvelles récoltes.

La ruine s'installe et souffle aux quatre coins
D'où s'acharnent les vents, sur la plaine finie,
Tandis que la cité lui soutire de loin
Ce qui lui reste encor d'ardeur dans l'agonie.

L'usine rouge éclate où seuls brillaient les champs ;
La fumée à flots noirs rase les toits d'église ;
L'esprit de l'homme avance et le soleil couchant
N'est plus l'hostie en or divin qui fertilise.

Renaîtront-ils, les champs, un jour, exorcisés
De leurs erreurs, de leurs affres, de leur folie ;
Jardins pour les efforts et les labeurs lassés,
Coupes de clarté vierge et de santé remplies ?

Referont-ils, avec l'ancien et bon soleil,
Avec le vent, la pluie et les bêtes serviles,
En des heures de sursaut libre et de réveil,
Un monde enfin sauvé de l'emprise des villes ?

Ou bien deviendront-ils les derniers paradis
Purgés des dieux et affranchis de leurs présages,
Où s'en viendront rêver, à l'aube et aux midis,
Avant de s'endormir dans les soirs clairs, les sages ?

En attendant, la vie ample se satisfait
D'être une joie humaine, effrénée et féconde ;
Les droits et les devoirs ? Rêves divers que fait,
Devant chaque espoir neuf, la jeunesse du monde !

DOSSIER

VIE D'ÉMILE VERHAEREN
1855-1916

1855 Naissance, le 21 mai, à Saint-Amand, d'Emile-Adolphe-Gustave Verhaeren. Son père, Henri Verhaeren, originaire de Bruxelles, est représentant d'un marchand de drap ; sa mère, née Jeanne-Adélaïde De Bock, tient une mercerie. Milieu bourgeois et catholique. Le village, au bord de l'Escaut, entre Anvers et Termonde, est flamand, mais on parle français à la maison.

1860 Naissance de Maria Verhaeren, sœur d'Emile.

1866-1868 Pensionnaire à l'institut Saint-Louis à Bruxelles ; élève médiocre.

1868-1874 Humanités classiques au collège Sainte-Barbe, à Gand, tenu par les jésuites. Elève moyen. Condisciple et ami de Georges Rodenbach.

1874-1875 A la demande de sa famille, il tente en vain de s'initier au négoce : son oncle Gustave est propriétaire d'une huilerie, à Saint-Amand.

1875-1881 Etudiant en droit à l'Université catholique de Louvain, où il rencontre Edmond Deman, son futur éditeur. Débuts poétiques dans la *Revue générale* (avril 1876).
Ses études terminées, muni de son diplôme de docteur en droit, il s'inscrit au barreau de Bruxelles. Stagiaire chez Edmond Picard, avocat célèbre et littérateur gagné aux idées socialisantes, il ne plaidera guère.

1881 Fondation à Bruxelles, par Max Waller, ancien condisciple de Verhaeren à Louvain, de la revue *La Jeune Belgique*, organe du mouvement novateur de la jeunesse littéraire belge. Verhaeren est parmi les premiers collaborateurs.
Débuts dans le journalisme comme critique d'art.

1882 Collabore comme critique littéraire à *L'Art moderne* que dirige Edmond Picard, et, sous le pseudonyme « Le liseur », à *L'Europe du dimanche,* supplément hebdomadaire de *L'Europe,* journal de Camille Lemonnier, l'un des hommes de lettres influents de la Belgique d'alors.

1883 *Les Flamandes* (Bruxelles, Hochsteyn), premier recueil de poèmes, de forme parnassienne, inspiré par le naturalisme et la peinture flamande.

A Ostende, le poète se lie avec le peintre James Ensor.

Séjour à la trappe de Forges-lès-Chimay (Hainaut belge). Cette retraite n'empêchera pas Verhaeren de perdre la foi, lorsqu'il est repris par le milieu de ses amis agnostiques.

1884 *Contes de minuit* (Bruxelles, Finck). Le volume, ainsi que plusieurs des suivants, s'agrémente d'ornementation(s) dessinée(s) par le peintre Théo Van Rysselberghe, ami de Verhaeren.

Fréquentation à Paris de Coppée, Bourget, Huysmans, Mallarmé.

1886 *Les Moines*, second volume de vers, inspiré par le séjour de Verhaeren chez les trappistes. Le volume paraît à compte d'auteur à Paris, chez Lemerre, l'éditeur des parnassiens, grâce à l'entremise de Léon Cladel.

Voyages en Angleterre, en Allemagne, en Espagne, qui se répéteront par la suite.

1887 Verhaeren quitte le groupe de *La Jeune Belgique* et rejoint le groupe symboliste d'Albert Mockel, fondateur (en 1886) de la revue *La Wallonie*.

Publie des notes sur le peintre *Fernand Khnopff* (Bruxelles, Monnom).

Début d'une crise de pessimisme frôlant la neurasthénie.

1888 *1er janvier* : sortie de presse à Bruxelles chez Deman du premier volume de la « trilogie noire », *Les Soirs*, qui sera suivi du second, en novembre : *Les Débâcles*.

Mort des parents du poète.

1889 Verhaeren rencontre Marthe Massin chez sa sœur Maria. D'origine liégeoise, elle est peintre et musicienne.

A l'automne, voyage en France et en Italie.

1890 Séjour à Londres.

1891 Fin de la trilogie avec *Les Flambeaux noirs*. Chacun des trois volumes comporte un frontispice d'Odilon Redon. Un nouveau recueil de poèmes, *Les Apparus dans mes chemins* (Bruxelles, Lacomblez), amorce un changement d'inspiration.

24 août : mariage avec Marthe Massin, dont il n'aura pas d'enfant ; elle sera pour lui une compagne attentive et dévouée.

L'héritage paternel va permettre à Verhaeren de vivre une vie d'homme de lettres indépendant, gagné à l'idéal du Parti Ouvrier Belge, ami des peintres, à l'occasion journaliste et conférencier et, de surcroît, grand voyageur.

Verhaeren et sa femme sont installés à Bruxelles.

1893 *Les Campagnes hallucinées*, poèmes (Bruxelles, Deman).

1894 Séjour à Knokke, près d'Ostende, où le poète ébauche, avec Maria Van Rysselberghe, l'épouse du peintre, le début d'une liaison à laquelle ils renonceront aussitôt.

1895 *Les Villages illusoires, Les Villes tentaculaires*, deux recueils de poèmes, tous deux chez Deman à Bruxelles.

Almanach (Bruxelles, Dietrich), poèmes réédités en 1908 au Mercure de France sous le titre *Les Douze Mois*.

Séjour à Paris avec fréquentation assidue de Francis Vielé-Griffin, d'Henri de Régnier et d'Albert Mockel.

Verhaeren occupe l'appartement du peintre Signac, parti pour le Midi.

Accueil au Mercure de France où Vallette publie, sous le titre *Poèmes,* un volume qui ajoute à la réédition des *Flamandes* et des *Moines* un nouveau recueil : *Les Bords de la route.*

1896 *Les Heures claires* (Bruxelles, Deman), poèmes de l'amour conjugal. Banquet Verhaeren à Bruxelles.

1898 *Les Aubes* (Bruxelles, Deman), drame lyrique publié d'abord dans les livraisons d'octobre et novembre 1897 du *Mercure de France.* La pièce est traduite la même année en anglais par Arthur Symons.

Mort à Paris de Georges Rodenbach.

1899 *Les Visages de la vie,* poèmes (Bruxelles, Deman).

Les Vignes de ma muraille (Paris, Mercure de France), dans un recueil collectif sous le titre *Poèmes*.

Installation à Paris, dans un petit appartement, 206, rue Championnet.

Août : Verhaeren découvre la maisonnette du « Caillou-qui-bique » (Hainaut belge), près de la frontière française. Il y viendra passer régulièrement une partie de l'été.

1900 *Le Cloître* (Bruxelles, Deman), drame représenté à Bruxelles au théâtre du Parc et à Paris au théâtre de l'Œuvre.

Petites légendes (Bruxelles, Deman). Ce recueil de poèmes sera réédité en 1916 sous le titre *Poèmes légendaires de Flandre et de Brabant* (Paris, Société littéraire de France), avec des bois de Raoul Dufy.

1901 *Philippe II* (Paris, Mercure de France), drame historique.

1902 *Les Forces tumultueuses* (Paris, Mercure de France), poèmes dédiés à Auguste Rodin, objet de l'admiration du poète.

Verhaeren reçoit du gouvernement belge le grand prix quinquennal de poésie française.

1903 Verhaeren et sa femme vont s'établir à Saint-Cloud où ils habitent d'abord boulevard de Versailles, 72, avant de s'installer définitivement rue de Montretout, 5 (aujourd'hui, rue Emile-Verhaeren).

1904 *Les Tendresses premières,* premier des cinq recueils poétiques qui formeront *Toute la Flandre* (Bruxelles, Deman).

Philippe II représenté au théâtre de l'Œuvre, à Paris.

1905 *Les Heures d'après-midi,* poèmes (Bruxelles, Deman).

Rembrandt, essai de critique d'art (Paris, Renouard et Laurens).

1906 *La Multiple Splendeur,* poèmes (Mercure de France).

1907 *La Guirlande des dunes,* deuxième recueil de *Toute la Flandre.*

1908 *Les Héros*, troisième recueil de *Toute la Flandre*.
James Ensor (Bruxelles, Van Oest), monographie illustrée sur le peintre ostendais.

1909 *30 décembre* : lettre admirative du roi Albert Ier. Les jeunes souverains de Belgique entretiendront des relations suivies avec Verhaeren.

1910 *Les Villes à pignons*, quatrième recueil de *Toute la Flandre*.
Les Rythmes souverains (Mercure de France), poèmes dédiés à André Gide.
Pierre-Paul Rubens (Bruxelles, Van Oest), essai de critique d'art.

1911 *Les Plaines*, cinquième recueil de *Toute la Flandre*.
Les Heures du soir, poèmes (Leipzig, Insel-Verlag). Cette première édition est due à l'initiative de Stefan Zweig, que Verhaeren a invité plusieurs fois au « Caillou-qui-bique ».

1912 *Hélène de Sparte* (Paris, Nouvelle Revue Française), drame représenté au Châtelet dans les costumes et décors de Bakst.
Les Blés mouvants, poèmes (Crès).
Tournée de conférences en Suisse et en Allemagne.

1913 Tournée de conférences en Russie.

1914 Invasion de la Belgique par les Allemands. L'université de Louvain incendiée, le 25 août. « Je suis plein de tristesse et de haine » (lettre à Romain Rolland).

1915 *La Belgique sanglante* (Paris, La Nouvelle Revue Française), textes de circonstance sur la Belgique dévastée par la guerre. Visite au front belge, après une tournée de conférences en Angleterre. Verhaeren revoit Albert et Elisabeth, à la villa de La Panne, dernier refuge du « roi sans terre ».

1916 *Les Ailes rouges de la guerre*, poèmes (Mercure de France).
Le 27 novembre, mort de Verhaeren, écrasé sous un train à Rouen où il est venu faire une conférence.
Funérailles à Rouen et inhumation provisoire au cimetière d'Adinkerke (La Panne).

1917 *Les Flammes hautes* (Mercure de France), poèmes que Verhaeren a écrits entre 1912 et 1914.

1927 Transfert du corps du poète à Saint-Amand, au bord de l'Escaut.

NOTICE

Editions originales : *Les Campagnes hallucinées*, Bruxelles, Edmond Deman, 88 pages, couverture et ornementation de Théo Van Rysselberghe, achevé d'imprimer le 20 avril 1893 ; *Les Villes tentaculaires*, Bruxelles, Edmond Deman, 104 pages, couverture et ornementation du même, achevé d'imprimer le 6 décembre 1895.

Les deux recueils ont été réédités conjointement en un volume paru au Mercure de France en 1904. Cette nouvelle édition présente des variantes. Peu nombreuses dans *Les Campagnes hallucinées*, elles le sont davantage dans *Les Villes tentaculaires* : déjà, l'exemplaire de l'originale conservé à la Bibliothèque Royale de Bruxelles (Cabinet Verhaeren, V C 100) portait, de la main de l'auteur, quelques leçons nouvelles. Entre cet exemplaire annoté et l'édition de 1904 des *Villes*, une révision plus importante a été effectuée. Donnons-en un exemple. *Le port*, dans l'édition de 1895, offre un passage qui se lit comme suit :

> *Et tout ce qui se crée en un front d'homme*
> *Là-bas, dans l'inconnu des loins talismaniques,*
> *Tend vers elle, cingle vers elle et vers ses luttes.*

Dans l'exemplaire qu'il a annoté, Verhaeren s'est contenté de biffer le vers *Là-bas, dans l'inconnu des loins talismaniques* sans le remplacer. Au vers précédent, il a modifié *Et tout ce qui se crée* en *Et tout ce qui s'invente* (leçon actuelle), mais a conservé le second hémistiche *en un front d'homme*. Le texte de 1904 offre un changement plus radical :

> *Et tout ce qui s'invente et tout ce que les hommes*
> *Tirent de leurs cerveaux puissants et volcaniques*
> *Tend vers elle, cingle vers elle et vers ses luttes.*

Une révision profonde des deux recueils va s'opérer lorsque Verhaeren prépare de l'ensemble de ses poèmes une édition définitive que la guerre et la mort l'empêcheront de mener à terme.

Le texte remanié des *Campagnes hallucinées* et des *Villes tentaculaires* voisine avec *Les Douze Mois* et *Les Visages de la vie*, recueils regroupés sous le titre *Œuvres* en un volume édité au Mercure de France en 1912.

On conserve à la Bibliothèque Royale un jeu d'épreuves corrigées de la main de Verhaeren (Cabinet Verhaeren, M L 2186). C'est une mise en pages qui porte sur certains feuillets le cachet d'Alfred Vallette, l'éditeur du Mercure, avec les dates : 15-6-12 et 17-6-12.

Toutefois, le texte imprimé sur ces épreuves n'est pas identique à celui du volume qui sort peu après. En effet, le poète ne s'est pas privé d'y apporter des corrections d'auteur, qui sont en réalité des leçons nouvelles modifiant ou supprimant un certain nombre de leçons antérieures. Celles-ci ne correspondent pas, comme on pourrait s'y attendre, à l'édition de 1904. Le texte qui figure sur le jeu d'épreuves en question est déjà lui-même un remaniement de celui de 1904, remaniement dont l'état manuscrit ne nous est pas connu.

Pour établir sa version définitive, Verhaeren a donc procédé en deux étapes, la seconde s'effectuant en 1912 sur les épreuves du volume. Précisons que ce jeu d'épreuves a servi en quelque sorte d'exemplaire de travail, car les ratures qu'il comporte montrent que l'auteur n'a pas toujours trouvé d'emblée la variante souhaitée.

Ces changements importants semblent n'avoir pas été du goût de tous les lecteurs de Verhaeren. Un de ses amis anglais, Edmund Gosse, dans une lettre datée de Londres, le 1er février 1913, et conservée à la Bibliothèque Royale, lui conteste le droit d'avoir modifié son texte primitif : *Les Campagnes hallucinées* de 1893 ne seraient-elles pas assez bonnes pour 1913 ?

Sans nous poser ce genre de questions, nous avons adopté pour la présente édition le texte de 1912 qui correspond au dernier état de la pensée créatrice du poète. Fidèle en cela à un principe dont la philologie nous a inculqué le respect. Fidèle aussi à l'opinion défendue par Joseph Hanse, dans un article capital « Pour une édition critique de Verhaeren » paru dans la revue *Les Lettres romanes* (t. IX, Louvain, 1955, spécialement pp. 398-402). On doit d'ailleurs convenir que les changements apportés par Verhaeren sont en général heureux : ils allègent son style sans rien lui enlever de sa force. Voir à ce sujet, de Joseph Hanse également, son article : « Les enseignements d'une édition critique » dans le *Bulletin de l'Académie royale de langue et de littérature françaises*, t. 54, Bruxelles, 1966 (à propos du cinquantième anniversaire de la mort de Verhaeren).

Le caractère de cette collection ne pouvait s'accommoder d'une édition critique en bonne et due forme des *Campagnes hallucinées* et des *Villes tentaculaires* : l'accumulation des variantes, surtout lorsque celles-ci ne portent que sur des détails, présentait peu d'intérêt pour le lecteur non spécialisé. Les notes qui suivent font état de quelques changements qui nous ont paru significatifs par rapport à l'édition de 1904.

On trouvera ci-après le relevé des poèmes parus en édition préoriginale, établi d'après le fichier constitué à l'Université de Louvain-la-Neuve par mes collègues et amis Joseph Hanse et Michel Otten, que je remercie vivement de leur obligeance.

LES CAMPAGNES HALLUCINÉES :

La ville dans *La Wallonie*, juillet 1892.
Les fièvres dans *La Société nouvelle*, 1893.
Les mendiants dans *Le Mouvement littéraire* du 8 décembre 1892.
Le fléau (sous le titre *La mort*) dans *Les Entretiens politiques et littéraires*, 1892.

LES VILLES TENTACULAIRES :

L'âme de la ville dans *La Société nouvelle*, juin 1895.
Les cathédrales dans *Le Réveil*, août 1894.
Une statue (Soldat) dans *L'Art jeune*, septembre 1895.
Le port (sous le titre *Les ports*) dans *La Société nouvelle*, février 1895.
Le spectacle (sous le titre *Les spectacles*) dans le *Mercure de France*, juillet 1895.
Une statue (Bourgeois) dans *Le Réveil*, juin 1895.
Les usines dans *La Société nouvelle*, juin 1895.
La bourse dans *La Société nouvelle*, septembre 1894.
Le bazar dans *La Revue blanche*, juin 1894.
L'étal dans *La Société nouvelle*, août 1895.
La révolte dans *Almanach de l'Université de Gand*, 1894.
Le masque (sous le titre *La tête*) dans *La Société nouvelle*, septembre 1894.
Une statue (Apôtre) dans *La Revue rouge*, octobre 1893.
La mort dans *La Société nouvelle*, février 1895.
La recherche dans *Le Coq rouge*, septembre 1895.
Les idées dans *La Société nouvelle*, août 1895.

BIBLIOGRAPHIE

Pour une description détaillée de l'œuvre d'Emile Verhaeren, sa traduction en différentes langues et les travaux qu'elle a inspirés, on se reportera à la *Bibliographie d'Emile Verhaeren* établie par Jean-Marie Culot et publiée par l'Académie royale de langue et de littérature françaises de Belgique (Bruxelles, 1954, in-8°, 157 pages). Insuffisant en ce qui concerne la collaboration de Verhaeren aux périodiques, l'ouvrage de Culot peut être complété par l'appendice bibliographique qui termine le volume d'André Fontaine : *Verhaeren et son œuvre* (Mercure de France, 1929).

Les ouvrages d'Emile Verhaeren (poésie, théâtre, essais) ont été mentionnés à leur date de publication dans la biographie ci-dessus. On ajoutera, en ce qui concerne la poésie, l'édition d'ensemble en neuf volumes in-8° écu que le Mercure de France a fait paraître, de 1912 à 1933, sous le titre général : *Œuvres*. En voici le détail :

I. *Les Campagnes hallucinées. Les Villes tentaculaires. Les Douze Mois. Les Visages de la vie.* II. *Les Soirs. Les Débâcles. Les Flambeaux noirs. Les Apparus dans mes chemins. Les Villages illusoires. Les Vignes de ma muraille.* III. *Les Flamandes. Les Moines. Les Bords de la route.* IV. *Les Blés mouvants. Quelques chansons de village. Petites légendes.* V. *La Multiple Splendeur. Les Forces tumultueuses.* VI. *Les Rythmes souverains. Les Flammes hautes.* VII. *Les Heures claires. Les Heures d'après-midi. Les Heures du soir.* VIII. *Toute la Flandre* (I) : *Les Tendresses premières. La Guirlande des dunes. Les Héros.* IX. *Toute la Flandre* (II) : *Les Villes à pignons. Les Plaines.*

Seuls les deux premiers tomes ont été revus et publiés du vivant de l'auteur. Cette édition des *Œuvres* a été réimprimée en 1977 par Slatkine à Genève.

Parmi les œuvres de Verhaeren publiées à titre posthume, outre *Les Flammes hautes* en 1917 (voir biographie), on notera :

Cinq récits (Genève, Editions du Sablier, 1920), avec bois de Frans Masereel.

Le Travailleur étrange et autres récits (Genève, Editions du Sablier, 1921), avec bois de Frans Masereel.

A la vie qui s'éloigne, poèmes (Paris, Mercure de France, 1924).

Impressions. Première série : *Des Flambeaux noirs aux Flammes hautes. Poèmes en prose. Celui des voyages* (1926). — Deuxième série : *Racine et le classicisme. Hugo et le romantisme. Barbey d'Aurevilly et Zola. Le Génie* (1927). — Troisième série : *De Baudelaire à Mallarmé. Parnassiens et symbolistes. De l'art poétique. Prosateurs contemporains* (1928). Chaque volume au Mercure de France, précédé d'un avertissement d'André Fontaine.

Pages belges (Bruxelles, La Renaissance du Livre, 1926).

Sensations (Paris, Crès, 1928), avant-propos d'Elie Faure et avertissement d'André Fontaine.

Notes sur l'art : I. *L'Exposition de 1900 à Paris.* II. *Sur la conservation des reliques d'art* (Paris, La Centaine, 1929).

Ces volumes — nous ne citons pas les plaquettes — reproduisent des articles publiés du vivant de Verhaeren ou le texte de conférences qu'il a prononcées.

La correspondance d'Emile Verhaeren n'a pas encore été réunie, sauf en ce qui concerne les deux cent dix-neuf lettres (1889-1916) *A Marthe Verhaeren,* recueil préfacé par René Vandevoir (Mercure de France, 1937).

PRINCIPAUX OUVRAGES SUR ÉMILE VERHAEREN

Stefan Zweig : *Emile Verhaeren, sa vie, son œuvre* (traduit par Paul Morisse et Henri Chervet, Paris, Mercure de France, 1910).

Enid Starkie : *Les Sources du lyrisme dans la poésie d'Emile Verhaeren* (Paris, De Boccard, 1927).

Edmond Estève : *Un grand poète de la vie moderne : Emile Verhaeren (1855-1916)* (Paris, Boivin, 1928).

André Fontaine : *Verhaeren et son œuvre* (Paris, Mercure de France, 1929).

Albert Mockel : *Emile Verhaeren, poète de l'énergie* (Paris, Mercure de France, 1933, avec une note biographique de Francis Vielé-Griffin). Développement d'études parues en 1895 et en 1917.

Ronald T. Sussex : *L'Idée d'humanité chez Emile Verhaeren* (Paris, Nizet et Bastard, 1938).

Henri Morier : *Le Rythme du vers libre symboliste.* Tome I : *Verhaeren* (Genève, Presses académiques, 1943).

François Vermeulen : *Les Débuts d'Emile Verhaeren* (Bruxelles, Office de publicité, 1948).

André Mabille de Poncheville : *Vie de Verhaeren* (Paris, Mercure de France, 1953).

Franz Hellens : *Verhaeren* (Paris, Seghers, « Poètes d'aujourd'hui », 1953).

Toute la Flandre : extraits, avec introduction et notes par Maurice
     Piron (Paris, Nouveaux classiques Larousse, 1965).
Il fait dimanche sur la mer : choix de poèmes établi et présenté par
     Marie Gevers (Anvers, Librairie des Arts, 1966, réimprimé en
     1982 par Jacques Antoine à Bruxelles).
Poèmes choisis : édition établie et présentée par Robert Vivier
     (Bruxelles, La Renaissance du Livre, 1977, nouvelle édition avec
     étude de l'œuvre par Raymond Trousson, 1982).

NOTES ET VARIANTES

Page 17.

1. La place de la dédicace à Victor Desmeth a changé depuis l'édition originale : en 1893, Verhaeren lui dédie *Les Campagnes hallucinées,* comme en 1904 lorsque le recueil est publié avec *Les Villes tentaculaires* ; en 1912, dans le premier tome des *Œuvres* (dont nous suivons le texte), la dédicace passe en tête du volume, *avant* le titre des *Campagnes hallucinées* : ce ne sont donc plus seulement *Les Campagnes hallucinées* qui sont dédiées à Victor Desmeth, mais l'ensemble du premier tome des *Œuvres,* qui contient également *Les Villes tentaculaires, Les Douze Mois* et *Les Visages de la vie.*

Le docteur Victor Desmeth, cousin par alliance de Verhaeren, était mort en 1890. Verhaeren lui avait dédié un de ses *Contes de minuit* en 1884 en le présentant comme un ami. Il avait fait de même avec un autre de ses cousins, Paul Héger. Voir François Vermeulen, *Les Débuts d'Emile Verhaeren*, p. 66.

LES CAMPAGNES HALLUCINÉES

Page 21.   LA VILLE

1. Variante 1904 :

> *Là-bas, avec tous ses étages*
> *Et ses grands escaliers et leurs voyages*

Page 25.   LES PLAINES

1. Variante 1904 :

> *Immensément, à perdre haleine,*
> *Où circulent, dans les ornières,*

> *Parmi l'identité*
> *Des champs du deuil et de la pauvreté,*
> *Les désespoirs et les misères ;*
> *C'est la plaine, la plaine*
> *Que sillonnent des vols immenses*

Page 30.   LE DONNEUR DE MAUVAIS CONSEILS

1. *Pueil :* jeune taillis (archaïsme). L'édition originale portait :

> *Par les taillis et par les pueils.*

La nouvelle version fait disparaître la tautologie. Terme d'ancien français, pueil (variante : puel), repris au XIXe siècle par les dictionnaires de Boiste, Bescherelle, etc., est un de ces mots rares du style artiste auquel les littérateurs belges ont volontiers sacrifié.

2. Variante 1904 :

> *La vieille carriole en bois vert pomme*

3. Variante 1904 :

> *Sur le feu mort des âtres froids.*
>
> *En habits vieux comme ses yeux,*
> *Avec sa blouse lâche*
> *Et ses poches où vivement il cache*
> *Les fioles et les poisons,*
> *Mi-paysan, mi-charlatan,*
> *Retors, petit, ratatiné,*
> *Mains finaudes, ongles fanés,*
> *Il égrène ainsi qu'un texte*
> *Les faux moyens et les prétextes*
> *Et les foisons des mauvaises raisons.*
>
> *On l'écoute, qui lentement marmonne*

4. *Borde :* petite métairie (archaïsme).

Page 34.   CHANSON DE FOU

1. Variante 1904 :

> *Dont les enfants se moquent.*
>
> *Et nous servons d'épouvantails qui veillent*
> *Aux corbeaux lourds et aux corneilles.*

Page 36.   PÈLERINAGE

  1. Variante 1904 :

> *Où vont les vieux paysans noirs*
> *Par les couchants en or des soirs*
> *Dans les campagnes rouges ?*

Page 42.   LES FIÈVRES

  1. Variante 1904 :

> *Bat l'infini, d'une aile grise.*

> *De village en village, un vent moisi*
> *Appose aux champs sa flétrissure ;*
> *L'air est moite ; le sol, ainsi*
> *Que pourriture et bouffissure.*

> *Sous leurs torchis qui se lézardent*

  2. Variante 1904 :

> *Brassent les fièvres empoisonnées.*

> *Sur les étangs en plates-bandes*
> *Les fleurs, comme des glandes,*
> *Et les mousses, comme des viandes,*
> *S'étendent.*

> *Bosses et creux et stigmates d'ulcères,*
> *Quelques saules bordent les anses,*
> *Où des flottilles de viscères,*
> *A la surface, se balancent.*

> *Parfois, comme un hoquet*

  3. *Draine* : il s'agit, vu le contexte, d'un fossé de drainage. Cette forme féminine de drain, non attestée en français, est peut-être un néologisme de Verhaeren.

Page 50.   LE PÉCHÉ

  1. Variante 1904 :

> *Hagards et las, buter de borne en borne.*

> *Et le moulin ardent,*
> *Sur sa butte, comme une dent,*
> *Alors, mêlait et accordait*
> *Son giroiement de voiles*

> *Au rythme même des étoiles*
> *Qui tournoyaient, par les nuits seules,*
> *Fatalement, comme ses meules.*

Page 56.   LES MENDIANTS

1. Variante 1904 :

> *Les bourgs, le clos, le bois, la fagne*

Le mot *fagne*, lande marécageuse désignant deux régions de la Wallonie, est éliminé au profit de son quasi-synonyme *fange*, qui s'accorde davantage au sol bourbeux d'une campagne désolée, localisée seulement dans la vision du poète.

Page 59.   LA KERMESSE

1. Variante 1904 :

> *Au seuil d'un portail morne.*

> *Et quelques couples seuls qui se hasardent,*
> *Les gars braillards et les filles hagardes,*
> *Alors qu'au cimetière deux corbeaux,*
> *Sur les tombeaux,*
> *Regardent.*

> *Avec colère, avec détresse, avec blasphème*

Page 65.   LE FLÉAU

1. *Thabor* : allusion biblique à la Transfiguration du Christ sur le mont Thabor, où il se montra dans la gloire à trois de ses disciples.

Page 74.   LE DÉPART

1. Variante 1904 :

> *Avec leur chat, avec leur chien,*
> *Avec pour vivre, quel moyen ?*
> *S'en vont, le soir, par la grand'route*

2. Variante 1904 :

> *Brinqueballés, brinqueballants*

3. *Borde :* voir ci-dessus note 4 de la p. 30.
4. Dans l'édition originale de 1893, le poème s'achevait ici. Les huit vers suivants formaient le poème final, sous le même titre *La ville* que le premier poème du recueil. Ce bref poème de huit vers venait après *La bêche.*

LES VILLES TENTACULAIRES

Page 85.

1. La dédicace à Henri de Régnier (1864-1936) rappelle l'amitié des deux hommes qui se connaissaient depuis l'époque où ils collaboraient à *La Wallonie* (1886-1892) d'Albert Mockel. Que ce soit plus particulièrement *Les Villes tentaculaires* qui aient été dédiées à l'auteur de *Tel qu'en songe* (1892) s'explique par la visite de ce dernier chez Verhaeren, à Bruxelles, en 1894, visite au cours de laquelle le poète français se déclara enthousiasmé par la lecture que lui fit Verhaeren de quelques pièces de son nouveau recueil.

Page 87. LA PLAINE

1. *Orde* : sale, repoussant, féminin de *ord* (archaïsme).
2. Le vers a quatorze syllabes, ce qui est peu fréquent dans le vers-librisme de Verhaeren, qui se règle sur les mètres classiques.
3. *Oche* : terre labourable clôturée de haies ou de fossés. Archaïsme que Verhaeren a dû trouver dans des dictionnaires qui recueillent des termes sortis de l'usage ou survivant en province, tels que Boiste (1834) et le *Dictionnaire des dictionnaires* paru à Bruxelles en 1839.

Page 96. UNE STATUE

1. La table des matières — tant en 1912 qu'en 1895 et 1904 — précise qu'il s'agit d'une statue de moine. Les trois autres « Statues » du recueil recevront une précision comparable (cf. plus loin p. 103, 117 et 141).
2. *Loge et Thor* : dieux de la mythologie nordique. Variante 1904 :

Où des granits carraient leurs symboles épais

Page 98. LES CATHÉDRALES

1. Variante 1904 (distique supprimé) :

Voici les boutiquiers des quartiers vieux
Limant sur l'établi leur sort méticuleux.

Page 103. UNE STATUE

1. La table des matières précise qu'il s'agit d'une statue de soldat.

Page 110. LE SPECTACLE

1. Variante 1904 : *Les spectacles.*
2. Variante 1904 :

Des bataillons de chair et de cuisses en marche

Page 114.   LES PROMENEUSES

1. *Macre* : plante aquatique à fleurs blanches.

Page 117.   UNE STATUE

1. La table des matières précise qu'il s'agit d'une statue de bourgeois.

Page 130.   L'ÉTAL

1. *S'essore* : prend son essor.
2. L'allusion à la fête de la Saint-Pierre fait penser que le port où se situe le bordel est Ostende, ville placée sous le patronage des saints Pierre et Paul.

Page 139.   LE MASQUE

1. En 1895, la pièce s'intitulait *La tête* et, dans l'édition de 1904 : *Au musée.*
2. Variante 1904 (fin du poème) :

> *Au fond d'un hall, dans un musée,*
> *L'image apparaissait définitive.*
> *Un vieux gardien, vêtu de noir,*
> *Veillait, obstinément, sans voir*
> *Que cette mort se consommait impérative*
> *Et présidait à la force toujours accrue*
> *De la foule brassant sa vie et ses rumeurs*
> *Et ses clameurs et ses fureurs au fond des rues.*

Page 141.   UNE STATUE

1. La table des matières précise qu'il s'agit d'une statue d'apôtre.

Page 143.   LA MORT

1. Variante 1904 :

> *Comme des fardes régulières.*

Le mot *farde*, en français de Belgique, désigne la chemise en carton fort où l'on range des papiers ; le changement opéré par Verhaeren est dû, plus qu'à un souci de (faux) purisme, au désir d'être compris en France.

Page 148.   LA RECHERCHE

1. *Claies* : allusion à un supplice des temps médiévaux où le corps, étendu sur une claie, était traîné par un cheval.

Page 156.   VERS LE FUTUR

1. Cette pièce ne figurait pas dans l'édition originale de 1895. Voir ci-dessus préface p. 14, note 1.

DOSSIER

DERNIÈRES PARUTIONS

Cet ouvrage,
le cent soixante-troisième
de la collection Poésie,
composé par SEP 2000
a été achevé d'imprimer par
l'imprimerie Bussière à Saint-Amand (Cher),
le 2 octobre 1993.
Dépôt légal : octobre 1993.
1ᵉʳ dépôt légal dans la collection : octobre 1982.
Numéro d'imprimeur : 2331.
ISBN 2-07-032227-0./Imprimé en France.